АРТЕФАКТ & ДЕТЕКТИВ

Наталья АЛЕКСАНДРОВА

Венец скифского царя

МОСКВА
2018

УДК 821.161.1-312.4
ББК 84(2Рос=Рус)6-44
     А46

Оформление серии *С. Курбатова*

Обложка *Н. Кудри*

Александрова, Наталья Николаевна.

А46   Венец скифского царя : [роман] / Наталья Александрова. — Москва : Эксмо, 2018. — 320 с. — (Артефакт & Детектив).

ISBN 978-5-04-097153-4

Казалось бы, какое отношение имеет обычная питерская девушка к древним скифам? А к золотому царскому венцу, принадлежавшему их повелителям и утерянному в одночасье? Но вот именно Лена Дроздова приближается к тайне уникального экспоната... И с ней происходят загадочные и страшные события. Бывшая одноклассница приглашает ее к себе на праздник, откуда Дроздова вынуждена сбежать и сесть в машину незнакомого мужчины, который на середине пути просто исчезает. И чтобы добраться до дома, Лена угоняет его автомобиль вместе со всем содержимым. И в кармане куртки водителя девушка находит странную открытку...

УДК 821.161.1-312.4
ББК 84(2Рос=Рус)6-44

ена покосилась на водителя. Только сейчас она разглядела его толком. С первого взгляда он показался ей заурядным мужичком средних лет, скучным и безвредным любителем домино и пива, владельцем скромного садового домика. Только теперь она увидела твердый квадратный подбородок, волчий оскал, мышцы, рельефно проступающие под рубашкой, седоватую трехдневную щетину на щеках, татуировку на руке. И напряженный, настороженный взгляд, который водитель то и дело бросал в зеркало заднего вида.

Странный взгляд. Странный и нехороший. Взгляд опасного хищника. Опасного зверя.

Зря она села в эту машину!

В Лениной голове замелькали жуткие истории о девушках, которые по глупости сели в машину незнакомого человека. Все эти истории кончались одна хуже другой.

С другой стороны, что ей еще оставалось? Идти пешком по ночным улицам — еще опаснее, чем сесть в автомобиль... тем более в этом безлюдном районе...

Она снова взглянула на водителя.

И тут поняла, кого он ей напоминает.

Действительно, зверя. Но — затравленного зверя, по следам которого идут охотники.

Лена почувствовала исходящий от водителя запах страха, заметила капли пота на лбу.

Чего он боится?

Чего и кого?

— Что смотришь? — процедил он, перехватив ее взгляд.

— Я... не смотрю. Больно ты мне нужен.

Лена откинулась на сиденье, и ремень тотчас врезался в бок. Она поерзала, устраиваясь поудобнее, и снова скосила глаза на водителя. Тот мрачно сдвинул брови к переносице и смотрел прямо перед собой. Не разговаривал с ней, не пытался заигрывать, и это было, конечно, хорошо, однако его мрачный вид Лену беспокоил. Эта гнетущая тишина в машине напрягала. Хоть бы музыку включил, что ли...

Лена тяжело вздохнула. Винить за сегодняшнее приключение можно было только саму себя, свою глупость и непонятную доверчивость. Черт ее дернул согласиться на Катькину вечеринку. Вот как будто и правда бес попутал!

Они с Катькой в школе никогда не дружили. Учились вместе с первого класса до девятого, а потом Лена ушла в другую школу. А Катька осталась в той, первой. И Лена потеряла связь с теми одноклассниками, какие-то там все были неинтересные.

Изредка доходили всякие новости — кто-то из девчонок рано выскочил замуж, кто-то уже родил, одна девчонка из параллельного аж двойню. Лене было опять-таки неинтересно, у нее была своя жизнь, свои друзья — из института, потом с работы.

Пару раз сталкивались они с Катькой на улице или в магазине — как живешь, как дела, да вроде все ничего — и разошлись. Потом не виделись несколько лет, так что когда в торговом центре какая-то девица вдруг бросилась Лене на шею, Лена испуганно шарахнулась в сторону. Катьку трудно было узнать, только по голосу Лена вспомнила девочку с вечно лезущей на глаза челкой, которую Катька пыталась сдуть или же так задирала голову, что учителя неизменно повторяли: «Супрунова, на потолке ничего не написано!»

Сейчас Катька перекрасилась, прибавила в весе, макияж был теперь чересчур яркий, и одежда соответствующая. Стрижка, надо сказать, ей шла, ни о какой челке не было и речи.

Катька так искренне обрадовалась встрече, что у Лены язык не повернулся отказаться, когда Катька потащила ее в кафе. Как ни странно, они хорошо посидели, вспоминая школьные годы.

Лена-то думала, что и вспоминать нечего, в той, дворовой школе ей всегда было невыносимо скучно, а у Катьки, оказывается, были какие-то свои представления и воспоминания.

А Лене в ее состоянии было даже приятно поговорить о чем-то давнем и постороннем. И Катька не лезла с вопросами, как у Лены с личной жизнью, о себе тоже не говорила, все больше о школьных приятелях. Ленина машина была в ремонте, так что она позволила себе даже выпить рюмочку ликера с кофе. И неожиданно рассказала Катьке, что рассталась с Андреем — нехорошо так, не по-людски.

— Бросил тебя, что ли? — спросила Катька.

— Да там не понять даже, кто кого бросил, — вздохнула Лена, — в общем, противно очень.

— Бывает... — протянула Катька и перевела разговор на другое, за что Лена была ей благодарна, она уже пожалела, что разоткровенничалась с малознакомым человеком.

С другой стороны, знакомым про это рассказывать — себе дороже обойдется.

В общем, посидели, поболтали, обменялись номерами телефонов да и разошлись. И Лена выбросила из головы Катьку в полной уверенности, что в лучшем случае увидятся они лет через десять.

И просто обалдела, когда Катька позвонила через неделю и пригласила ее на день рождения, как она сказала — днюха у нее в субботу, и чтобы Лена обязательно приходила. Лена открыла было рот, чтобы отказаться, но пока придумывала предлог, Катька уже заболтала ее, сказав, что будет не только днюха, но и новоселье, она только что переехала в новую квартиру.

— Приходи, Лен, — сказала Катька, — очень прошу. Все-таки столько лет знакомы.

После такого как-то язык не поворачивается послать человека подальше, что, как теперь понимает Лена, нужно было сделать тогда, причем не раздумывая.

А Катька уже расписывала, как они чудно посидят теплой дружеской компанией, будут только свои, человек восемь всего.

Лена представила, как она проведет субботний вечер, как и все последние вечера, одна.

Раньше они ходили с Андреем всюду вместе, во все компании. Он небось теперь туда тоже ходит, может быть, с новой подружкой уже. Известно ведь, что одинокий мужчина в любой компании никогда лишним не будет, а вот одинокую даму обычно в компанию, где все парами, не зовут. Поэтому, чтобы на отказ не нарываться, Лена и не напрашивалась. Да и не хотелось, в общем. Так, с девочками с работы сходит куда-нибудь в кафе или в баню, так и то каждый норовит спросить, как там Андрей, что-то его не видно.

Так что Лена проявила несвойственные ей глупость и легкомыслие и поехала в субботу к Катьке. Сегодня то есть.

Или, точнее, вчера, сейчас уже половина первого, стало быть, воскресенье настало.

Начать с того, что квартира находилась в такой, извините, заднице, что Лена и не была в том районе никогда в жизни. И главное, она-то думала, что квартира в новом доме, а оказалось — в жуткой пятиэтажке, да еще на первом этаже.

Тогда Лена еще порадовалась, что не взяла машину. Представила, как она будет плутать в этом отдаленном районе, а потом в незнакомой компании все будут вязаться, чтобы выпила хоть немножко, хоть бокал шампанского за здоровье именинницы, и Лена не выдержит, а за руль потом ни за что не сядет, так что придется оставлять машину в чужом дворе минимум на сутки.

Увидев тогда этот двор, Лена вздохнула с облегчением. Все-таки ума и дальновидности у нее сколько-то есть. Двора, собственно, как такового не было, стояли друг за другом в затылок три пятиэтажки, между ними — детская площадка с загаженной песочницей и сломанными в прошлом веке качелями, в углу — домик помойки, который был так завален старыми продранными матрасами и ломаной мебелью, что места для контейнера не осталось, тот стоял прямо на дорожке. За помойкой прятались два скромных инвалидных гаража, возле которых на ящиках сидели три личности самого отвратительного вида.

Только с одной стороны был бетонный забор, и за ним виднелось огромное серое, невероятно унылое здание.

Взглянув на все это великолепие, Лена снова похвалила себя за предусмотрительность.

Какие там сутки, тут на двадцать минут приличную машину оставить нельзя, мигом разденут!

Катька шумно приветствовала ее, полезла целоваться, от нее уже прилично попахивало вином и сигаретами. Лена не курила, так что едва сдержала отвращение.

Квартира была крошечная и жутко захламленная, мебель старая, бумажные обои висели кое-где клочьями.

— Это бабкина квартира, — тараторила Катька, — бабка у меня померла, мне квартиру оставила. Конечно, не бог весть что, зато свое. Опять же, на работу близко, я вон в той больнице работаю.

— Ты? — удивилась Лена. — В больнице?

— Ну да, медсестрой в ортопедическом. Я ведь, между прочим, медицинский колледж закончила. Работала по торговле, да что-то не понравилось, так что решила по специальности. Опять же, никуда ездить не надо, вон она, работа моя. — Катька махнула рукой в сторону бетонного забора.

Лена обошла квартиру, что сделать было совсем нетрудно, ужаснулась жуткой ванне в рыжих подтеках и шкафчикам на кухне, которые, по ее прикидкам, помнили, наверное, первые пятилетки, целину и полет Юрия Гагарина.

«Бедно бабка жила, что уж тут скажешь, — подумала она, — но это не мое дело».

Она бы, конечно, не стала гостей звать в такую халабуду, где единственные новые предметы обстановки — это холодильник и большая двуспальная кровать, которая занимала едва ли не всю маленькую, тесную комнатку.

Зачем тесниться, когда можно в кафе посидеть?

Лена поняла, зачем, гораздо позже. Катька представила ее гостям — нескольким парням и двум девицам, очень похожим друг на дружку. Обе были тощие и длинноносые, только у одной светлые волосы были распущены по плечам, а у другой — забраны в малосимпатичную кичку на темечке. Девицы посмотрели на Лену неприветливо, особенно после того, как Катька представила ее как свою школьную подругу, находящуюся в данное время в свободном поиске. Умнее ничего не придумала, вроде и не настолько пьяная, а такое несет!

После таких слов парни оживились, стали отпускать шуточки. Особенно отличался один — как оказалось, Катькин хахаль, звали его Валера. Вот он-то Лене сразу не понравился. На правах хозяина Валера провел ее по квартире (было бы что смотреть), вроде бы случайно погасил свет в ванной, так что они едва не столкнулись лбами, и Лена почувствовала его несвежее дыхание.

Все это начинало ей очень не нравиться. Но тут явился запоздавший Толик, которого посылали за вином, и все сели за стол.

Из еды были какие-то несвежие салаты, явно из магазина, и пицца, которую Катька заказала явно не в приличном итальянском ресторане, а в какой-нибудь соседней забегаловке. Вино было из самых дешевых, пить его Лена не могла.

Но с одной стороны от нее сидел Валера, который подливал и подливал, а с другой — Толик.

Толик был похож на двухстворчатый платяной шкаф, уж извините за расхожее сравнение. Сходство это усугублялось тем, что по случаю праздника на нем был пиджак, и полы его выглядели как дверцы того же шкафа. Табуретка под ним так ужасно скрипела, что Катька пересадила его на Ленин стул, который тоже страдальчески крякнул от такого веса.

Как Лена ни старалась ответеться, а пришлось выпить за Катькино здоровье. Потом — за родителей, потом — еще за что-то столь же обязательное. В голове у нее слегка шумело, в комнате было жарко, Катька раскрыла окно и включила музыку.

Блондинистые девицы тут же повисли каждая на своем парне (те тоже были здорово похожи — оба коротко стриженные, с оттопыренными ушами). Толик снял пиджак, и там, внутри, вместо полок и ящиков с бельем, оказался он сам. Толика было так много, что Лена не дотянулась до его плеча. Они топтались на месте, пока Толик не наступил ей на ногу. Он ужасно сконфузился, а Лена едва не заорала от боли. Прибежал Валера, предложил посмотреть ногу, Лена отказалась, потом снова выпили, затем Катька позвала Толика на кухню, и Лена вздохнула спокойно — хоть вторую ногу не отдавит.

Она уже прикидывала, как бы уйти незаметно, но сумку было не найти в крошечной прихожей, заваленной барахлом и чужими вещами.

Потом все снова сели за стол, потому что Катька подала горячее — сомнительного вида котлеты, которые Лена есть не стала. Оттого, что не ела, в голове шумело все сильнее, она вышла на лоджию подышать, Валера отправился за ней. Он стоял недопустимо близко, так что Лена отодвигалась от него в угол. Уйти было нельзя — он загораживал дверь. Он был здорово пьян, и Лена ужасно обрадовалась, когда обнаружила свою сумку и куртку прямо тут, на лоджии.

— Мне пора, — сказала она, — уже поздно, нужно идти...

— Да куда ты... — Он облапал ее, и тут на лоджию влетела разъяренная Катька.

— Ах, вот ты как? — заорала она. — Стало быть, решила моего парня увести? Ну, спасибо, подруженька, отблагодарила за все хорошее! Большое спасибо!

Лена хотела сказать, что ничего хорошего ей Катька не сделала, и в гости к ней она не набивалась, и этот урод ей и даром не нужен, но Катька набирала обороты и уже орала на весь дом:

— Люди добрые, вы только на нее посмотрите! Не успела прийти, как уже на него вешается! Саму мужик бросил, так она на чужих лезет! Ни стыда, ни совести!

Катька вертелась возле и норовила вцепиться Лене в волосы.

— Да замолчи ты! — Лена махнула сумкой и случайно заехала Катьке по щеке.

Та взвыла и отпрянула, приложив руку к лицу. Лена растерялась, тогда Валера схватил ее сзади за плечи.

— Катька, врежь ей скорее, пока держу! — заорал он.

— Ах ты, сволочь! — Лена озверела, завертелась и укусила Валеру в плечо. Когда необходимо, она умела за себя постоять.

— Ты че, сдурела? — заорал Валера и отпустил Лену. — Шуток не понимаешь?

Какие тут шутки! Катька выставила вперед руки с короткими ногтями, вымазанными ярко-красным лаком (все же медсестра, ногти наращивать им, видно, не разрешают), и пошла на Лену, целясь в глаза. И пришлось бы Лене плохо, потому что сзади напирал Валера, но тут на лоджию протиснулся Толик.

Как он уместился в тесном пространстве, непонятно, но Толик не стал интересоваться, что же они тут делают, как мальчик в старой детской комедии, а тут же уразумел суть проблемы. Одной рукой он поднял Катьку над полом, так что она только ругалась и бессильно болтала в воздухе ногами, второй рукой толкнул Лену к выходу. Она подхватила сумку и протянула руку за курткой, но этот гад Валера вытянул куртку и покрутил перед ней, как тореадор крутит мулету перед разъяренным быком. Куртка была брусничного цвета, очевидно, это и навело Валеру на мысли о корриде.

— А-та-та... — говорил он, — а попробуй, достань!

Лена сунулась было за курткой, но Валера ловко ее обошел и выскочил с лоджии в комнату.

Кровь бросилась Лене в лицо, до того она разозлилась. Она увидела на столе среди грязной посуды нож и протянула уже к нему руку. И тут в голове прозвучал вопрос, что же она делает.

— Ну, иди, иди сюда... — звал Валера, помахивая курткой.

— Да пошел ты! — рявкнула Лена и выбежала из квартиры.

На улице ей стало легче, во всяком случае, руки перестали трястись, и глаза не застилала уже пелена ярости. Ну сходила в гости, хорошо провела субботний вечерок! Сама виновата, не нужно было сюда соваться. Ладно, сейчас надо вызвать такси и уехать отсюда поскорее. Дома успокоиться и забыть про Катьку.

Она сунулась в сумку за телефоном и не нашла его в кармашке. Сердце сдавило нехорошее предчувствие — сумка валялась на лоджии, кто угодно мог в ней порыться. Лена пошарила в сумке — вот кошелек, и деньги вроде все на месте, она много с собой и не брала, вот ключи от квартиры, косметичка.

Телефон нашелся на самом дне, и у Лены отлегло от сердца. Но радость оказалась преждевременной — мобильник безнадежно разрядился.

Черт, ну хотела же проверить перед уходом! И вот что теперь делать одной на пустой темной улице? Точнее, темнота еще не наступила — все-таки конец мая, вроде бы белые ночи в городе. Но небо сегодня весь день было обложено тучами, как ватой, оттого Лена и взяла с собой куртку, опасаясь дождя.

Вспомнив про куртку, она здорово разозлилась — новая, довольно дорогая вещь, первый сезон всего и носила-то. Ну Катька, ну зараза! Это же надо — Лену приревновать к этому уроду Валере. Да на него глядеть — и то оторопь берет!

Лена вспомнила, как заехала Катьке сумкой по морде. Немного полегчало, и она решила поймать левака и ехать домой. Рискованно, конечно, но выбора нет.

Тут из-за угла вывернула машина, и Лена подняла руку. Машина проехала было мимо, но вдруг сбросила скорость, остановилась, и водитель подал назад.

— Скучаешь? — спросил он, как показалось Лене, с насмешкой.

— Я с работы! — буркнула она и отвернулась.

— Садись! — Он открыл дверцу. — Довезу уж, если с работы. В больнице работаешь? — Он мотнул головой назад, где оставалась темная громада больницы.

— Ну да, медсестрой в ортопедическом, — закивала Лена.

Она и сама не знала, для чего соврала, но продолжала болтать, чтобы разрушить неловкую тишину:

— На дежурстве задержалась, сменщица моя не явилась, день рождения у нее, вот, пришлось подменять... — И добавила зачем-то: — Меня Катей зовут, а вас?

Водитель буркнул что-то невразумительное и отвернулся. Лена поняла это так, что он не намерен болтать, и притихла.

Машина неслась по пустым улицам, ясное дело, это не центр, там-то сейчас оживленно. Лена ненадолго закрыла глаза и отключилась, а когда очнулась, то не узнала ничего вокруг.

То есть этот район она и раньше плохо знала, но все же не было у нее топографического кретинизма, она сама водила машину и запоминала дорогу. И теперь была уверена, что, когда ехала сюда на такси, она этой дорогой не проезжала, хоть что-то в памяти отложилось бы.

— Куда мы едем? — Она постаралась, чтобы голос звучал спокойно.

— В город едем, как договаривались, — ответил водитель, — тут дорога получше.

Тогда-то Лена и пригляделась к водителю и увидела волчий оскал и затравленный вид.

От страха сделалось нехорошо, сердце заколотилось, голова стала тяжелой, дыхание сбилось.

За окном машины проносились чахлые кусты, выхваченные из темноты мертвенным светом фар. Никаких домов и вообще строений не было видно. Куда он ее завез?

На Лену накатила тяжелая волна тошноты.

Дешевое пойло, которым ее угощали у Катьки, просилось наружу. Тошнота усугублялась злостью — злостью на Катьку, злостью на саму себя. Вроде не двадцать лет, пора бы уже поумнеть... Да еще водитель этот какой-то странный... Хотя ночью-то все странными кажутся, у страха глаза велики...

— Остановись! — попросила она водителя.

Он взглянул на нее удивленно:

— Что вдруг?

— Тошнит меня! — ответила она зло. — Ты же не хочешь, чтобы я тебе весь салон заблевала?

— Черт! Только этого мне не хватало! — Водитель ударил кулаком по рулю, но все же затормозил, съехал на обочину. — Ладно, давай уж, только скорее...

Он повернулся — не к Лене, в другую сторону, быстро и настороженно оглядел дорогу.

Лена открыла дверцу, выбралась из машины, сделала несколько неуверенных шагов. Жадно вдохнула ночной воздух. Впереди столпились пыльные кусты, они, словно руки, тянули к ней ветки, ветер ворочался в них, как большое тяжелое животное.

Лена пошла дальше от дороги, дальше от машины, дальше от этого странного ночного водителя. В голове мелькнула мысль, что он может уехать, — но даже это не казалось теперь важным.

Лена шла, не разбирая дороги, шла в темноту, спотыкаясь, цепляясь за сухие ветки.

Наконец остановилась, отдышалась.

Тошнота прошла сама, от темноты и свежего ночного воздуха. Вокруг была гулкая, непривычная тишина. Здесь, в стороне от дороги, в стороне от жилья, она увидела над собой огромное ночное небо, тускло подсвеченное огнями большого города.

В голове начало проясняться, и тут до нее дошел ужас собственного положения — ночью, одна, на безлюдном пустыре... если этот водила уедет, что она будет делать?

Она торопливо развернулась и пошла в обратном направлении. Впрочем, сейчас, в этой густой пыльной темноте, она утратила представление о направлении и шла наугад, проламываясь через кусты, может быть, и не туда, куда нужно, может быть, удаляясь от дороги, углубляясь в пустырь. Кусты хватали ее за одежду, словно пытаясь удержать, вернуть ее.

Вдруг впереди, там, куда она шла, послышался шорох.

Лена застыла, испуганно вглядываясь в темноту. Потом тихо проговорила, обращаясь к этой темноте:

— Кто здесь?

Никто ей, разумеется, не ответил, но ветки кустов шевельнулись, оттуда донесся тяжелый вздох.

Лена повернула и побежала, все равно куда, только бы подальше от того, что шуршало, вздыхало и двигалось в темноте.

Постепенно она успокоилась и подумала, что устроила панику на пустом месте.

Теперь она уже вовсе не представляла, куда нужно идти, и шла вперед, только чтобы не стоять на месте.

И через несколько бесконечно долгих минут, когда она уже окончательно уверилась, что заблудилась на этом проклятом пустыре, впереди проступил неяркий свет.

Лена раздвинула кусты — и с облегчением увидела впереди дорогу и знакомый силуэт машины.

С бьющимся сердцем вышла из кустов, поправила волосы, одернула юбку, подошла к машине, опустилась на переднее сиденье и проговорила виноватым и в то же время агрессивным голосом, заранее отбиваясь от неизбежных упреков водителя:

— Ну все, поехали...

И только после этого почувствовала зияющую пустоту на водительском сиденье.

Оглянулась — и убедилась, что водителя рядом с ней не было.

Наверное, тоже вышел по своим делам... ну вот, а сам не хотел останавливаться!

Лена сложила руки на коленях, устроилась поудобнее, придумывая язвительную фразу, которой встретит вернувшегося водителя. Правда, ничего остроумного в голову не приходило.

Прошла минута, другая...

Да что он там так долго делает?

Все язвительные фразы напрочь выветрились из головы. Для них просто не осталось места. Лена взглянула на часы. Было уже половина второго.

Она прикрыла глаза и не заметила, как задремала.

Ей даже начал сниться какой-то сон — лестницы, коридоры, незнакомые люди... они в чем-то укоряли ее, показывали на нее пальцами, и Лена во сне знала, что виновата перед ними, не знала только, в чем именно заключается ее вина.

Проснулась она, как от толчка, и в первый момент не могла понять, где находится. Наконец вспомнила неудавшуюся вечернику, свой побег, странного водилу — и осознала, что все еще сидит в пустой машине рядом с ночным пустырем.

Взглянула на часы — было без пяти два.

Спала-то она недолго, но куда же запропастился этот водитель?

Лена вышла из машины, вгляделась в темные кусты, позвала его отчего-то негромко, словно боясь кого-то разбудить:

— Эй, ты где? Ты куда пропал?

Ей никто не ответил — только ветер лениво пошевелил сухие пыльные ветки.

Лена снова села в машину, положила руки на колени, уставилась в темноту.

Что же делать?

Сколько можно ждать — до утра?

А что еще она может делать? Идти по этой дороге, которая ведет неизвестно куда?

И куда он, черт его возьми, делся? Отошел в кусты по надобности, и там ему стало плохо? Вот так прямо свалился такой здоровый крепкий мужик? Да не может быть!

Тут она повернула голову и увидела, что из замка зажигания торчат ключи. Вот как, и ключи оставил...

А почему бы не...

Водила сам виноват — ушел неизвестно куда, бросив ее, бросив свою машину без присмотра...

Она передвинулась на водительское сиденье, повернула ключ зажигания.

Мотор охотно заработал, как будто только этого и ждал. Лена выжала сцепление и тронулась вперед.

Скоро она проехала пустырь, мимо замелькали унылые серые пятиэтажки со слепыми глазницами ночных окон. Только в одном окне горел свет, словно за этим окном бодрствовал кто-то, кто надзирал за этой ночью.

Вскоре справа от дороги показался светящийся аквариум автозаправки.

Тут Лена затормозила — она поняла, что едет на чужой машине без всяких документов, и если нарвется на гибэдэдэшника, мало ей не покажется — это в чистом виде угон. Только этого ей не хватало!

Лена затормозила, не доезжая до заправки. Оттуда наверняка можно вызвать такси. А машину найдут, утром ее обязательно увидят.

Повернула зеркало заднего вида, чтобы привести себя в порядок. Поправила волосы, оглядела одежду...

Мимо проехала машина, и в свете ее фар Лена вдруг увидела расплывающееся сбоку на блузке темное пятно.

Пригляделась... и почувствовала, как по коже пополз липкий холодок страха.

Это была кровь. Ну да, и запах крови...

Лена в страхе выскочила из машины, вгляделась в водительское сиденье — и увидела, что оно все залито кровью.

Удивительно, как она это сразу не заметила? Ну да, там темно было, а свет она побоялась включить.

Господи, что же случилось, пока она ходила на пустырь? Куда делся водитель?

И она, идиотка, сидела в машине и даже спала там! А потом села на окровавленное место и ехала в этой машине по городу! Ну, положим, не по городу, а по окраине, но все-таки...

Бежать, бежать, скорее бежать отсюда!

Она сделала уже шаг от машины, но тут осознала, что нельзя идти в окровавленной одежде. Черт бы побрал этого тореадора Валеру, чтоб его самого бык на рога поднял!

Снова заглянула в салон — и увидела на заднем сиденье длинную мужскую куртку, куртку водителя.

Ну что ж, это лучше, чем ничего...

Она накинула куртку, запахнула ее, чтобы не была видна кровь, захлопнула дверцу машины и пошла к заправке.

Ключи оставила в замке зажигания.

Понятно, что машину тут же угонит какая-нибудь шпана, но так оно и лучше: больше запутаются следы, никто уже не свяжет этот автомобиль с самой Леной. Про пропавшего водителя она уже не думала, все вытеснила одна мысль — оказаться как можно дальше от машины и вообще от этого опасного места.

На заправке дежурил сонный парень, больше не было никого, и снаружи пусто, никаких машин.

При виде Лены парень оживился.

— Что, клиент бортанул? Тяжелая у вас работа... может, обслужишь со скидкой? По ночному тарифу!

— Отвянь... — вяло отмахнулась Лена. — Вызови мне лучше такси, у меня батарейка села.

Парень не обиделся, набрал номер, и через двадцать минут к заправке подкатила белая «Шкода». Лена ждала ее на улице, чтобы парень не вязался с разговорами и не запомнил ее лицо. Она села на заднее сиденье, опять-таки чтобы не болтать с водителем такси, но тот включил музыку и с разговорами не приставал.

По ночному городу доехали быстро, водитель молча принял деньги, кивнул и уехал. На негнущихся ногах Лена потащилась к подъезду. В лифте ей захотелось сесть на пол и так остаться на длительное время. Она долго не могла попасть ключами в замок, до того дрожали руки. В прихожей с отвращением скинула куртку на пол, увидела кровавое пятно на блузке и рванула пуговицы.

Едва хватило сил добрести до кровати, и Лена провалилась в тяжелый вязкий сон.

Поздно ночью, скорее, даже под утро возле двухэтажного кирпичного дома недалеко от Черной Речки остановился видавший виды темно-серый внедорожник.

В Петербурге есть несколько районов, застроенных такими однотипными домиками — на Черной Речке, около Удельной, возле Светлановской площади. Домики эти строили вскоре после войны пленные немцы, и долгое время они считались весьма престижными. По понятной причине эти дома называли «репарационными» или «немецкими». За прошедшие годы многие из этих домиков обветшали, некоторые были снесены, а на их месте выстроили новые многоэтажные корпуса. Однако некоторые из этих «немецких» домов были в свое время приватизированы толковыми хозяевами, качественно отремонтированы и превращены в комфортабельные современные коттеджи.

Вот как раз возле такого коттеджа и остановился серый внедорожник.

Коттедж был огорожен высоким глухим забором, в котором имелись ворота с камерой видеонаблюдения.

Водитель внедорожника, рыжий тип с оттопыренными ушами и отсветом запредельной тупости в глазах, посигналил.

Ворота открылись, и внедорожник въехал во двор.

На крыльце стоял высокий мужчина средних лет с длинным лицом из тех, какие называют лошадиными, и седеющими волосами. Лицо его выражало явное неудовольствие.

Из внедорожника вышли напарники — рыжий и бритоголовый, они волокли полуживого окровавленного человека.

— Вы что сигналите? — прошипел хозяин коттеджа. — Ночь на дворе!

— Ну прощения просим... — пропыхтел рыжеволосый, пытаясь удержать окровавленное тело в вертикальном положении. — Ворота были закрыты, вот я и посигналил...

— И весь район перебудил! А мне ни к чему лишний шум! Мне внимание привлекать не нужно!

Бритоголовый недовольно покосился на своего напарника и примирительно проговорил:

— Шеф, мы его привезли.

— Вижу, что привезли! — поморщился хозяин особняка. — Только в каком виде! Я вам велел его живым доставить, а не замочить!

— Да он отбивался! — подал голос рыжеволосый. — Он мне зуб чуть не выбил, ну я и не удержался...

— Знаю я тебя! — перебил его шеф. — Не первый год знаю! Чуть что, сразу за нож хватаешься!

— Да он же в порядке... — канючил рыжий. — Вы велели его живым доставить, так вот, живой он... подумаешь, немного порезанный... большое дело...

— Для тебя, может, и небольшое... ладно, тащите его в подвал, пока он правда концы не отдал!

Напарники втащили полуживого человека в коттедж, спустили по лестнице в большой захламленный подвал и остановились перед старым платяным шкафом.

Хозяин особняка подошел к этому шкафу, открыл его дверцы, раздвинул висевшие на плечиках старые пальто и куртки, открыв заднюю стенку. Пошарив по верхней части этой стенки рукой, он нашел неприметную кнопку, нажал на нее — и задняя стенка шкафа отодвинулась, за ней обнаружился проход в потайную часть подвала.

Эта часть подвала была больше первой и куда аккуратнее. В ней не было никакого хлама, только обшитые пластиковыми панелями стены, офисная мебель и какие-то непонятные приборы.

Напарники втащили израненного человека в потайное помещение, усадили его в кресло на колесиках и привязали за руки и за ноги.

Закончив эту процедуру, они встали по сторонам пленника чуть ли не по стойке «смирно».

Хозяин коттеджа оглядел пленника, потом перевел взгляд на бравых напарников и проговорил:

— Ну что, приступим...

Он повернулся к раненому, осмотрел его, затем достал из ящика стола пузырек нашатырного спирта и поднес к лицу пленника. Тот отдернулся, охнул, глаза его открылись.

— Привет! — проговорил шеф. — С приездом!

Пленник заморгал, потом тряхнул головой, пытаясь собраться с мыслями.

— Ну что, вспомнил, кто ты такой? Может, даже догадался, кто я?

— Нетрудно догадаться... — прохрипел пленник.

— Ну и хорошо, по крайней мере, мне не придется тебе представляться. А раз ты знаешь, кто я, — ты знаешь, что мне от тебя нужно. Так что давай избавим друг друга от лишней головной боли. Скажи мне, где ты это спрятал, и поставим на этом точку, закончим наш разговор. Ни тебе, ни мне он удовольствия не доставляет.

— Отчего же! — прохрипел раненый. — Мне кажется, ты от таких вещей балдеешь...

— Не болтай ерунды! — рявкнул шеф, наклонившись над пленником, и ткнул его пальцем в болевую точку позади уха. Пленник вскрикнул.

— Еще раз спрашиваю — где ты это спрятал? Пленник ответил мрачным взглядом.

— Я бы тебе не советовал отмалчиваться. Ты же не хочешь попасть на Каменный остров? Говори, где ты это спрятал?

— А вы машину обыскали? — спросил пленник.

В глазах его при этом появилось какое-то странное выражение, которое не укрылось от шефа. Он снова повернулся к бравым напарникам и спросил:

— А скажите мне, орлы, как вы его захватили? Как его машину остановили?

— А ее и останавливать не пришлось! — радостно выпалил рыжеволосый. — Он сам остановился! Мы подъехали — он стоит возле пустыря... мы перед ним встали, он и опомниться не успел!

— Стоял возле пустыря, говорите? — Шеф нахмурился. — Посреди ночи? А зачем он там стоял? Вам ничего в голову не пришло?

— А чего? — переспросил рыжий в удивлении.

— Ну да, чтобы туда что-нибудь пришло, для начала эта голова должна быть на плечах... и в ней должны быть хотя бы полторы извилины... ну ты-то вроде малость поумнее! — Шеф повернулся к бритоголовому. — У тебя никакая мысль не шевельнулась?

Лицо бритоголового вытянулось.

— Может, ждал он кого-то... — наконец проговорил он растерянно.

— Вот именно! — процедил шеф. — Он был там не один! С ним еще кто-то ехал, и этот кто-то вышел на пустырь отлить! А вы не проверили, не подождали... нет, глупость неизлечима!

Шеф снова склонился над пленником и спросил:

— Кто с тобой был? Кого ты ждал возле пустыря?

Раненый молчал, тогда шеф снова надавил на болевую точку.

Пленник застонал, лицо его побелело, как бумага.

— Не надо... — пролепетал он. — Пожалуйста, не надо...

— Тогда отвечай! С тобой в машине кто-то был?

— Ну да, я женщину подвез... пожалел... она шла ночью, одна...

— Женщину? — переспросил шеф. — Что за женщина?

— Молодая женщина... девушка...

— Кто такая?

Пленник молчал, и шеф сильнее надавил на болевую точку.

Пленник вскрикнул и поспешно проговорил:

— Катя... ее зовут Катя... медсестрой она работает в ортопедическом... там рядом больница, она со смены возвращалась.

— Ты ей что-то сказал? Что-то дал? — Шеф снова надавил за ухом. — Говори, это у нее?

Пленник снова застонал. Вдруг его стон оборвался, глаза широко открылись, на лице проступило выражение радостного удивления, как будто он увидел что-то прекрасное.

Ну или, по крайней мере, как будто он понял, что его мучения закончились раз и навсегда.

— Вот черт, кажется, он помер! — удивленно протянул рыжеволосый громила.

— Твоими стараниями! — прошипел шеф. — И вот что теперь прикажете делать? Его вы угробили, девку какую-то прозевали, а то, что нам нужно, не нашли.

— Шеф, мы все исправим! — забормотал рыжеволосый. — Девчонку ту мы найдем. Он же сказал — она медсестра в соседней больнице, звать Катей.

Авангард царской армии поднялся на плоскую вершину холма и остановился. Начальник правого полка огляделся, тронул тростью из позолоченной слоновой кости возницу, тот слегка шевельнул вожжи, и колесница полководца выкатилась вперед, на самый край, откуда лучше просматривалась равнина.

Впереди, за холмом, расстилалась бесконечная, безбрежная степь, кое-где изрытая сухими руслами ручьев и балками. Желтовато-зеленое море травы с рыжими проплешинами голой земли тянулось до самого горизонта.

Вторую неделю ассирийская армия неотступно шла по следам скифских отрядов, но неуловимые степные жители исчезали при появлении ассирийских разъездов, как утром под первыми лучами солнца исчезает ночной туман.

Тут и там ассирийцы видели следы недавно прошедшей степной конницы, тут и там попадались им еще не остывшие кострища и вытоптанные копытами участки, тут и там ассирийские разведчики видели на горизонте небольшие конные отряды — но догнать их никак не удавалось, крепкие мохноногие скифские лошади были быстры и неутомимы.

Ассирийцы не находили ни селений, ни полей, а значит, не могли пополнить свои запасы продовольствия.

Полководец всмотрелся в пыльный степной горизонт и вдруг разглядел вдали, на самом краю видимого мира, там, где тускло-голубой небосвод смыкался с тускло-золотой степью, приближающихся всадников. Они мчались навстречу ассирийцам, поднимая клубы пыли, скрадывавшие их облик и число. Еще нельзя было разглядеть отдельных воинов, но их было много, очень много.

Неужели боги вняли мольбам царских военачальников и даруют им битву с неуловимыми врагами?

Начальник полка снова тронул тростью из слоновой кости спину возницы, и тот понял без слов, развернул колесницу и покатил к центру великой армии, к огромной колеснице, которую влекли двадцать четыре могучих коня.

Как положено, начальник полка остановился за двадцать локтей от колесницы главнокомандующего, спрыгнул на землю и дальше пошел пешком, почтительно опустив взор.

Остановился перед самой колесницей — позолоченным сооружением из кедрового дерева и слоновой кости, украшенным изображениями крылатых богов и страшных зверей сиррушей, — преклонил одно колено и проговорил:

— Великий, боги услышали нас! Скифская армия идет навстречу нашим непобедимым полкам!

Главнокомандующий привстал, поправил красную, выкрашенную хной бороду, радостная и злая улыбка озарила его широкое лицо, как зарница освещает предгрозовое небо.

— Боги услышали меня! — проговорил он высоким резким голосом. — Выступаем на битву! Веди свой полк вправо, твой брат поведет свои колесницы налево, мы охватим армию варваров клещами, как скорпион, и тогда я ударю в центр и сокрушу их, как молот сокрушает соломенное чучело!

Начальник правого полка почтительно склонился, коснулся лица и сердца, показывая, что понял приказ, вернулся к колеснице и помчался к своему полку.

Теперь уже хорошо были видны скифские всадники. Их было много, очень много, но это ничуть не беспокоило ассирийского военачальника. Ему приходилось сокрушать не меньшие силы — два года назад он поверг к ногам царя головы хеттских вождей, а ведь те были славными, опытными во-

инами, не чета этим степным варварам! А пять лет назад боги даровали ему победу над дикими горными племенами, столь же многочисленными, как скифы.

Начальник полка отдал команду, и колесницы, медленно набирая ход, скатились с холма. Сворачивая вправо, они помчались по степи — быстрее, быстрее, быстрее...

Степь гремела под ассирийскими колесницами, как боевой барабан. Опытные, привычные к сражениям кони ржали, предчувствуя кровь. Лучники натягивали звонкую тетиву своих луков, копьеносцы готовили копья к бою.

Впереди, немного отступив от основных сил, мчались страшные серпоносные колесницы, к осям которых были прикреплены огромные острые серпы, срезающие все живое на своем пути, как перезрелые ячменные колосья, подрезающие ноги вражеских коней и шеи вражеских пехотинцев.

Страшный боевой клич издавали ассирийские воины, клич, вселявший ужас в сердца врагов.

Скифы же мчались навстречу в безмолвии — и это внушало не меньший страх, чем грозный клич ассирийцев.

Вот лучники уже изготовились по команде начальника выпустить стрелы — и вдруг скифская конница резко повернула влево, и вся безмолвная лава сменила направление.

Начальники сотен взмахнули черными флажками — и туча стрел взлетела в воздух, как гигантский пчелиный рой.

Но там, куда направили свои стрелы ассирийские лучники, уже никого не было. Скифские всадники рассыпались, как горошины из лопнувшего стручка, разделились, и вот они уже скакали в обратную сторону, удирая от ассирийских колесниц.

С колесницей начальника правого полка поравнялся всадник — его адъютант, который во время боя передавал приказы начальникам сотен. Лицо его сияло грозной радостью.

— Господин! — выкрикнул он звонким молодым голосом. — Степные варвары отступают! Они не выдержали праведного гнева нашего наступления!

— Подожди радоваться! — ответил ему начальник полка. — Скифы хитры!

Ассирийские колесницы набирали ход, стараясь нагнать скифов и ударить в их арьергард.

Они уже нагоняли последних скифских всадников. Начальник полка отдал приказ лучникам, и туча стрел снова полетела вслед скифам, на мгновение заслонив солнце.

Колесница начальника полка мчалась одной из первых, и полководец увидел скачущего перед ним рыжебородого скифа. Тот обернулся, и глаза их встретились. В глазах варвара не было страха, не было горечи и стыда поражения. В них было торжество, как будто скиф держал в своих руках победу.

Начальник полка почувствовал беспокойство. Он подумал, не следует ли прекратить погоню, не лучше ли остановить армию и послать вперед конных разведчиков. Но лавина боевых колесниц мча-

лась вперед столь грозно, столь неудержимо, что остановить ее было не в человеческих силах.

Начальник полка почувствовал какую-то перемену. Он привстал, вытянул шею, вгляделся в раскинувшуюся впереди степь — и увидел, что она сжимается, уходя в узкую лощину между двумя невысокими каменными отрогами.

Отыскав глазами адъютанта, он крикнул, пытаясь перекрыть грохот колесниц:

— Остановить! Сейчас же остановить полк! Развернуть колесницы направо!

Но он и сам уже понимал, что выполнить его приказ невозможно: если бы какой-то опытный возничий попытался замедлить ход своей колесницы, на него обрушились бы те, кто мчался сзади; если бы он попытался повернуть коней, его колесницу перевернули бы и растоптали сотни других колесниц.

Даже сам начальник полка не мог замедлить бешеное стремление своей колесницы, он мог только с нарастающим ужасом наблюдать за происходящим.

Передние колесницы втянулись в лощину, как в бутылочное горло. Лощина сужалась, и колесницы сталкивались боками, опытные возничие пока еще с трудом справлялись с управлением, с трудом удерживали колесницы от падения.

Но вот в узкое горло лощины одна за другой влетели серпоносные колесницы, и страшные лезвия полоснули по ногам мчащихся рядом лошадей.

Равнину огласило мучительное ржание, трава обагрилась кровью, кони с перерезанными сухожи-

лиями падали на землю, под колеса мчащихся колесниц, под ноги других коней. Колесницы сталкивались, опрокидывались, ломались с оглушительным треском.

В считаные минуты грозная ассирийская армия погрузилась в смятение и хаос.

Со всех сторон доносились крики боли и ужаса.

И тут на холмах, которые с двух сторон сжимали лощину, показались скифские всадники. Их было много, много, как травинок в степи, много, как песчинок в пустыне, как капель воды в море. Скифы натянули свои короткие тугие луки, и тысячи стрел взлетели в воздух, чтобы через мгновение обрушиться на растерянное, мятущееся, вопящее от ужаса ассирийское войско.

Стрелы летели со всех сторон, они жалили ассирийцев, как смертоносные пчелы.

А потом бородатые всадники на низкорослых выносливых косматых лошадях обрушились со склонов холмов на остатки ассирийского войска.

Как волки на овечье стадо, подумал начальник правого полка. Как волки на беззащитное стадо.

Впрочем, самого правого полка больше не существовало.

Начальник разбитого полка успел подумать, что не переживет этого позора, и успел увидеть несущегося на него степного всадника, его разорванный криком рот, его длинную русую бороду, обагренную ассирийской кровью кольчугу, копье в его руке, успел даже обнажить свой меч и нанести удар.

Копье скифа скользнуло по его закаленным доспехам, тогда как меч ассирийца достиг цели, вонзив-

шись в плечо варвара. Ассириец выдернул меч из раны и нанес еще один удар.

Но тут сбоку возник другой скиф, с окованной медью дубинкой в руке — и на начальника правого полка обрушилась тьма.

Обычно Лена просыпалась быстро, глаза откроет — и вскочит, валяться не любила. В этот раз, однако, глаза не хотели открываться, пока Лена не приказала им это сделать.

Она долго не могла понять, где находится, пока не осознала себя в собственной постели. Она спала почему-то в юбке и в колготках, завернувшись в покрывало, вместо того, чтобы, как все нормальные люди, улечься в ночнушке на простыни. Наверное, поэтому все тело неимоверно чесалось.

Лена со стоном села на кровати, и комната вокруг стала тихонько кружиться. Лена не стала ей мешать, а попыталась вспомнить, что же случилось вчера.

Вспомнила про паршивку Катьку, и про Валеру, и про отвратительное пойло, которое пришлось пить, и про несвежую еду. Вот отчего так худо, нужно просто принять горячий душ и выпить крепкого черного чаю, кофе явно не пойдет.

Для того чтобы снять юбку и колготки, понадобились все силы, которые остались в ее ослабленном организме. Для того чтобы спустить ноги с кровати, пришлось долго себя уговаривать. А уж для того чтобы дойти до двери, Лене пришлось пообещать себе коробку пирожных из дорогущей кондитерской на Малой Садовой.

Все знают, что заедать неприятности сладким — весьма порочный метод, чреватый неприятными последствиями, так что Лена вообще запретила себе смотреть на пирожные, когда они расстались с Андреем. Но сейчас обещание помогло.

Бросив взгляд на часы, оставшиеся на руке, она не поверила своим глазам. Часы показывали половину пятого, то есть она проспала почти весь день.

В прихожей неприятно пахло — бензином, застарелым дымом и еще чем-то. Лена увидела на полу кучу одежды. Вначале она опознала свою блузку, но в каком виде! Всю мятую, с оторванными пуговицами, да еще и с пятном на боку. Пятно было ржавого цвета, и объяснить тот факт, что Лена не сразу определила, что это, можно было только ее зверским похмельем. Вот именно, так ее организм мстил за выпитое накануне дешевое некачественное вино.

Лена пошевелила ногой мужскую куртку, валявшуюся на полу, и наконец все вспомнила: исчезнувшего водителя, кровь на сиденье и то, что она угнала чужую машину. Испугалась задним числом, но тут же призвала себя к порядку и бросилась в ванную.

«Забыть, — твердила она, стоя под горячими струями душа, — выбросить из головы все, что случилось вчера. Катькин номер в черный список занести. Хватит с меня школьных приятелей!»

Но забыть не получилось, потому что, когда Лена пришла в себя и стала готовиться к рабочей неделе, она хватилась пропуска. Его не было ни в сумке, ни в прихожей на столике. Лена искала везде, наконец приказала себе прекратить бегать по квартире, как мышь от веника, и подумать, куда он мог запропаститься.

Пропуск должен быть дома, поскольку в субботу она его не брала с собой, так что нечего искать в сумке.

Сумка! Сумка же была не та!

И Лена скрылась в стенном шкафу. В той, рабочей сумке пропуска тоже не оказалось. Она отогнала ужасные мысли о той бюрократической тягомотине, которая ей предстоит при восстановлении пропуска, и сосредоточилась на мелочах. Если бы не похмелье, то память работала бы лучше.

Итак, в пятницу шел дождь, а ей нужно было на объект, поэтому она надела джинсы, кроссовки и куртку. Ну да, ту самую, брусничного цвета. Потом заехала в офис, а когда выходила... так, теперь точно вспомнила, что положила пропуск в карман куртки. Еще на молнию застегнула, так что он до сих пор там лежит. Если, конечно, эта зараза Катька куртку не выбросила. С нее станется!

Катьке звонить дико не хотелось, но выхода не было: без пропуска на работу не попадешь, восстанавливать его — ужасная морока, да и куртку жалко — хорошая, новая.

Катька долго не брала трубку, наконец ответила сонным, гнусавым голосом:

— Это кто?

«Конь в пальто»! — хотелось сказать Лене, но она взяла себя в руки, если начнет сейчас ругаться, Катька просто трубку бросит.

Когда Катька уразумела, что звонит Лена, она сразу проснулась и с ходу разозлилась:

— У тебя наглости хватает звонить? Что тебе нужно? Я тебя видеть больше не желаю! Слышать о тебе не хочу! Ноги твоей в моем доме больше не будет!

— Да постой ты! — примирительно перебила ее Лена. — Я к тебе домой вовсе не собираюсь. Я вообще-то по делу звоню! Я у тебя куртку свою забыла, а в ней пропуск...

— Ничего не знаю, ничего не видела! — тут же рявкнула Катька, однако трубку почему-то не бросила.

— Все ты видела! — Лена потихоньку накалялась. — Этот твой урод Валера мне куртку не отдал, еще тореадора там изображал, клоун несчастный!

— Твоя правда, — неожиданно сказала Катька нормальным голосом. — Валерка и правда урод тряпочный, мы с ним ночью поругались. Век бы его не видеть.

— Слушай, мне про Валеру неинтересно, — втолковывала Лена, — мне бы куртку свою забрать.

— Куртку? — Новый поворот сюжета как-то сразу притушил Катькину злость, словно сменил у нее в голове программу. — На черта мне нужна твоя куртка... постой... а, вот, правда, она тут лежит под вешалкой... Ой, грязи на ней... — в Катькином голосе прорезались нотки злорадства, — Валерка ее ногами топтал.

— Посмотри, есть ли в кармане пропуск! — рявкнула Лена, и Катька не посмела отказаться.

Пропуск был на месте, и на том спасибо.

— Тебе на работу когда?

— Когда-когда... — ворчала Катька, — завтра, к девяти. А ты поспать не даешь...

— Возьмешь куртку завтра на работу! — приказала Лена. — Я к тебе утром в больницу заеду! Да смотри не проспи и не забудь, мне без пропуска никак нельзя!

— Ладно, возьму. Вот прямо сейчас в пакет ее положу...

И Катька сладко зевнула.

Костик шел по улице, мрачно глядя себе под ноги.

Ситуация была паршивая. Нужно было где-то срочно раздобыть денег. Много денег.

Во-первых, сегодня день рождения у его девушки Кристины. То есть сама Кристина не считала себя его девушкой, она всячески подкалывала Костика и давала ему понять, что она — птица не его полета, что с таким нищебродом, как Костик, ей нечего делать. Так что о том, чтобы прийти к ней сегодня с пустыми руками, не может быть и речи. Нужен подарок, и подарок приличный.

Конечно, можно снова занять у Севыча, у него деньги всегда водятся, но как раз тут возникало «во-вторых».

Во-вторых, а на самом деле как раз во-первых, он и так уже должен Севычу много денег, а это грозит очень серьезными неприятностями, потому что брат Севыча — крутой и опасный тип, с которым лучше не связываться. И Севыч на днях прозрачно намекнул, что, если Костик буквально сегодня не отдаст долг, ему придется-таки познакомиться с тем самым братом.

Вот если бы сейчас ему на глаза попался кошелек с деньгами...

Костик так ясно представил себе этот кошелек, что даже почувствовал его запах — запах кожи и почему-то одеколона.

Костик моргнул и принюхался.

Кошелька на асфальте не было, но запах был, и запах был самый настоящий, хорошо знакомый. Костик поднял глаза и увидел припаркованную возле тротуара машину. Машина была так себе, средненькая, довольно старая зеленая «Хонда». Но сиденья кожаные — это от них исходил тот самый запах. Кроме того, у самого Костика и такой машины не было.

Костик заглянул в машину...

И увидел невероятное: в замке зажигания торчали ключи.

Значит, не перевелись еще в нашем городе идиоты! А идиотов, как известно, нужно наказывать.

Костик огляделся по сторонам.

Хозяина машины поблизости не было. Вообще, поблизости не было ни души. Таким удачным случаем нельзя было пренебрегать, и Костик, еще раз воровато оглядевшись, открыл дверцу машины и сел на водительское место. Он был внутренне готов к тому, что сейчас же на него навалится какой-нибудь громила, спрятавшийся на заднем сиденье, но секунды проходили, а ничего не происходило. Тогда он повернул ключ и, не веря своему счастью, выжал сцепление.

В первый момент он решил приехать на этой машине к Кристинке — то-то она удивится, но потом до него дошло, что это — неудачная мысль: если хозяин машины объявится и вышвырнет его при Кристинке, стыда не оберешься.

Нет, нужно действовать умнее.

Вряд ли хозяин машины ушел далеко. Надо воспользоваться его глупостью и как можно быстрее превратить эту машину в деньги. Потому что деньги, как известно, не пахнут, и уж их-то никакой хозяин не отследит.

Костик ехал дворами и переулками, чтобы не нарваться на полицию, и скоро приехал к гаражу Пантелеича.

Пантелеич был, как говорят, человек широко известный в узких кругах. Он держал гараж неподалеку от железнодорожного переезда, и его гараж был известен тем, что там в любое время дня и ночи можно было купить и продать все что угодно.

Пантелеич сидел на табуретке перед своим гаражом, подставив солнцу широкую плоскую физиономию, и слушал семейную перебранку, доносившуюся из открытого окна на третьем этаже. Слушал ее он с таким выражением лица, с каким другие слушают пение птиц или симфоническую музыку.

Костик подъехал к гаражу и затормозил.

Пантелеич стер с лица лирическое выражение, взглянул на Костика и спросил:

— Чего надо?

— Пантелеич, мне бы машину продать.

— Вот эту? — Пантелеич окинул машину цепким взглядом. — Ну так продавай. Я не возражаю. На каждом шагу фирмы, которые рухлядью подержанной торгуют.

— Да они тянуть будут, а мне срочно надо... — заныл Костик. — Деньги очень нужны.

— Срочно? — фыркнул Пантелеич. — Срочно, парень, только кошки родятся.

Тем не менее он нехотя поднялся с табурета, подошел к машине и оглядел ее.

И тут же брови его полезли на лоб:

— Ты что, щенок, совсем сдурел? Ты что мне пригнал?

— А что? Что такое? — заволновался Костик.

— Да у нее все сиденье в крови! Ты что — зарезал в ней кого? И с такой машиной ко мне явился?

— В крови? — Костик подпрыгнул как ужаленный и уставился на сиденье. Оно и правда было в бурых пятнах. Правда, на его счастье, пятна эти высохли, и Костик не перемазал свою одежду.

— Я... я тут ни при чем... — залепетал он. — Она такая была... я не заметил.

— Быстро загоняй машину в гараж! — прошипел Пантелеич, отступая в сторону.

Костик послушно заехал в гараж, Пантелеич опустил ворота и включил свет.

— Вот что, — проговорил он, хмуро глядя на Костика. — Так и быть, я эту машину разберу, так что у тебя никаких проблем не будет. И денег с тебя за это не возьму.

— Денег? С меня? — изумленно переспросил Костик. — Пантелеич, поимей совесть! Это ты мне денег должен! Ты же ее на запчасти разберешь и по частям загонишь!

— А риск? — прошипел Пантелеич. — Она же вся в крови! На ней же определенно мокрое дело висит!

— Пантелеич, ну имей совесть! — канючил Костик. — Мне очень деньги нужны!

— Ладно, так и быть, держи! — Пантелеич порылся в кармане, достал оттуда две тысячные купюры и сунул Костику.

— Что — это все? — Тот чуть не зарыдал.

— Ладно, держи еще одну! Больше ты все равно не заработал! И не забудь сказать спасибо!

В понедельник утром Лена поехала через весь город в Катькину больницу. Пока она добиралась, пока стояла в пробке перед железнодорожным переездом, натикало уже половину одиннадцатого. Катька давно уже должна была заступить на дежурство. Самой Лене уже звонили из офиса, но она не брала трубку, потому что сказать в свое оправдание ей было нечего.

Лена поставила машину на больничную стоянку, прошла через приемный покой, спросила у пожилой нянечки, где находится ортопедическое отделение, поднялась на третий этаж и вошла в длинный унылый коридор. Никто ее не остановил, никто не спросил, куда это она идет с утра пораньше, да еще без бахил, очевидно, в этой больнице были демократичные порядки.

За столом дежурной сестры сидела женщина лет тридцати пяти с красными от недосыпа глазами. Она вяло переругивалась с другой женщиной, постарше лет на десять.

— Если у вашей мамы диабет, самим нужно следить, что она ест! Я не нанималась ее тумбочку проверять! Откуда я знаю, кто ей эти бананы принес? Ваша мама, вы за ней и следите!

Заметив Лену, медсестра повернулась к ней всем телом:

— А вы что здесь делаете? Если вы к больному пришли, предъявите пропуск! А иначе только в приемные часы. Приемные часы у нас вы сами знаете когда.

Вот интересно, сами пускают всех подряд, а потом спрашивают.

— Я не к больному, — проговорила Лена, — я к Катерине Супруновой. Мне Катерина нужна. Где она?

— Ах, к Катерине? — Сестра привстала со своего места, в голосе ее зазвучала непонятная радость. — Ах, к Супруновой? Ах, тебе интересно, где она? Так вот мне это тоже очень интересно, потому как твоя Супрунова уже час назад должна была меня заменить! Я уже вторые сутки на дежурстве, а ее нет и нет! Ну это же надо совсем совести не иметь! Это уже который раз с ней такая история! Напьется с дружками и подружками, вот такими, как ты, и непременно проспит, а мне за нее отдуваться! Мне за нее свои нервы портить, которые, между прочим, не восстанавливаются! Кто мне это все компенсирует?

— Так она не пришла еще? — Лена вычленила из возмущенного монолога сестры осмысленную часть.

— А ты ее видишь? — кипятилась женщина. — Вот и я не вижу! Дрыхнет небось твоя Супрунова без задних конечностей, а я здесь за нее отдуваться должна!

Тут она заметила все еще стоящую рядом женщину и тут же переключилась на нее:

— Если у вашей мамы проблемы с головой, нанимайте ей кого-нибудь или сами за ней следите, а я на это не подписывалась! У нас, между прочим, ортопедия, а не психиатрия!

Лена воспользовалась кратковременной передышкой и быстро покинула отделение. Ругаться с этой мегерой не входило в ее планы. На это не было времени.

Выходит, Катька еще дома... Проспала, зараза, так что сменщицу ее понять в общем-то можно.

Идти к Катьке домой Лене совершенно не хотелось, не хотелось вспоминать ту отвратительную вечеринку, но выхода у нее не было, нужно было вернуть пропуск, да и куртку жалко, хорошая куртка, дорогая и совсем новая.

Лена снова вышла на улицу и медленно пошла вдоль больничного корпуса к воротам, за которыми виднелась Катькина пятиэтажка. На душе у нее было какое-то неприятное предчувствие, вроде того, какое бывает перед тем, как испортится погода, или перед тем, как здорово наорет начальник.

Навстречу Лене тянулась цепочка людей — озабоченные женщины с набитыми сумками, оживленные студентки-медички. Ориентируясь на эту цепочку, Лена свернула в арку, соединяющую — или разделяющую — два здания, собственно больницы и какой-то двухэтажной хозяйственной постройки.

Возле входа в эту пристройку цепочка людей застыла, образовав небольшую толпу. Лена тоже невольно притормозила, увидела испуганное, бледное лицо светловолосой первокурсницы, ее широко распахнутые фиалковые глаза.

— Что случилось? — спросила она девушку сочувственно.

Она уже догадывалась, каким будет ответ, но не могла сама себе в этом признаться.

— Вон... — Студентка ткнула тонким пальцем с зеленым маникюром в самую середину толпы, где, как в центре тайфуна, образовалась гулкая тревожная пустота. Там, в этой пустоте, на свежей нежно-зеленой траве лежало что-то страшное, бесформенное, накрытое сероватой застиранной простыней.

— Что... что это? — вполголоса спросила Лена студентку, с которой у нее установился уже какой-никакой контакт.

— Девушку убили, — ответила та, не сводя глаз с простыни. — Вот так здесь ходишь каждое утро...

— Девушку? — переспросила Лена и тут увидела торчащую из-под простыни туфлю, точнее — женский ботинок-лофер. Черный лакированный ботинок с кокетливым бантиком.

Лена почувствовала, как ее обдало жаром.

Она вспомнила эти лоферы — Катька Супрунова надевала их при ней и еще хвасталась, как удачно и недорого их купила. И целый вечер в них так и проходила, налюбоваться не могла.

Значит... значит, вот почему Катька не пришла на дежурство! Вот что ее задержало!

— Она точно убита? — зачем-то спросила Лена студентку, когда к ней вернулся голос.

— Точнее не бывает! — ответила та и покосилась на Лену. — Что, знакомая твоя?

— Нет, — быстро открестилась Лена и на всякий случай отошла от студентки.

Но далеко она не ушла — тело под простыней притягивало ее как магнит.

Теперь она увидела, что пустота около трупа не так уж пуста. В ней переступали два человека, словно исполняли какой-то сложный этнический танец.

Один был солидный мужчина лет пятидесяти в ослепительно белом халате, с богатой седой шевелюрой, выглядывающей из-под крахмальной шапочки, с властным и уверенным лицом, какие бывают у президентов небольших южноамериканских республик и у заведующих отделениями клинических больниц.

Второй же был его полной противоположностью — низенький, кривоногий мужичок в сильно потертой и испачканной чем-то черным спецовке, с каким-то примятым лицом и вытаращенными бесцветными глазами.

Вальяжный мужчина в белом халате тыкал в своего оппонента крепким толстым пальцем и говорил рокочущим басом:

— На каком основании, Петушков, вы его переместили?

— Кого — его? — отозвался мужичок в спецовке, покосившись на труп. — Кого его, когда это она?

— Вы меня, Петушков, своими словами не запутывайте! — рокотал начальник. — Его — потому что труп! Так вот, я вас, Петушков, еще раз категорически спрашиваю — на каком основании вы его переместили с места преступления?

— Ни на каком ни на основании, а потому как находиться в щитовой посторонним категорически запрещено! О том в инструкции написано, и еще табличка имеется! Насчет техники безопасности, и вообще! А она — то есть он — однозначно посторонний! Поэтому и переместил! Увидел, что она... то есть он в щитовой лежит, и немедленно переместил! По инструкции!

— Вы, Петушков, слишком много на себя берете! Труп должен был до прихода полиции находиться на своем месте, потому как могут быть следы и улики!

— На каком же на своем? — возражал Петушков, подскакивая и размахивая руками, словно желая оправдать свою фамилию. — На каком же на своем, когда он там посторонний? Полиция полицией, а мне инструкцию соблюдать положено!

— Вы мне, Петушков, уже надоели со своей инструкцией! Вы переместили труп, а мне теперь с полицией разбираться! Как будто у меня без этого дел мало!

Тут сквозь толпу любопытствующих протолкались два хмурых мужчины в темных помятых пиджаках, один повыше и похудее, другой пониже и потолще.

— Где тут труп? — осведомился тот, что повыше.

— Вот! — Вальяжный мужчина ткнул пальцем в накрытое простыней тело. — А вы, я так понимаю, из полиции?

— Правильно понимаете. — Высокий махнул в воздухе удостоверением. — А кто его нашел?

— Вот этот вот человек. — Вальяжный тем же пальцем ткнул в сторону Петушкова. — Слесарь наш. Только он труп самовольно переместил из помещения на улицу... как будто он не понимает, что труп должен находиться на месте преступления! Еще, видите ли, на инструкцию ссылается!

— Подождите, мы с ним сами разберемся! — Высокий полицейский жестом как бы отстранил вальяжного мужчину и подступил к Петушкову:

— Фамилия!

— А я ее фамилии не знаю, — тут же открестился тот. — Я ее вообще никогда раньше не видел.

— Я вас не про чью-то постороннюю фамилию спрашиваю, а про вашу собственную. Ее-то вы, надеюсь, помните?

— Ее-то, известное дело, помню. Петушковы мы. И отец мой был Петушков, и дед... насчет прадеда не помню, но полагаю, что он тоже был Петушков.

— Ваши родственники меня не интересуют. Мне достаточно вашей фамилии. Значит, это вы нашли труп?

— Значит, я.

Высокий полицейский наклонился и жестом фокусника сдернул с трупа простыню. По толпе пронесся испуганный вздох. Полицейский оглядел зевак и строго проговорил:

— Кто-нибудь из вас знает... то есть знал потерпевшую? Кто-нибудь может определить ее личность?

И тут неизвестно откуда появилась та самая медсестра, которая только что сидела на посту в ортопедическом отделении. Только теперь она была не в белом халате, а в джинсах и бежевой курточке, отчего стала моложе и не такой строгой.

— Я знаю... знала. Это Катерина Супрунова, медсестра. На нашем отделении работает... работала.

— Супрунова... — повторил полицейский, записывая показания в блокнот. — А ваша лично как фамилия?

— Сомова я, Вера. А только при чем здесь я? — заволновалась медсестра. — Я вообще только сейчас сюда подошла, у меня дежурство было на отделении. Так что я именно там и находилась. Можете проверить. А вот эта — ее подруга, она к нам приходила и про нее расспрашивала! — И она указала на Лену.

— Мы и с вами разберемся, и с ней! — многообещающе проговорил полицейский и подошел к Лене:

— Фамилия?

— Дроздова, — неохотно призналась Лена. Очень ей не хотелось попасть в поле зрения полиции, но, похоже, этого было не избежать. Так уж судьба сложилась.

— А документ какой-нибудь у вас имеется?

— Имеется... — И Лена предъявила права.

Полицейский внимательно их изучил, прежде чем вернуть, затем проговорил сочувственно:

— Значит, Елена Павловна, она была вашей подругой?

— Ну не то чтобы подругой... — тут же открестилась Лена. — Скорее просто знакомой.

— Просто знакомой? Однако вы к ней приехали, спрашивали о ней... у вас было к потерпевшей какое-то дело?

— Да, дело... — протянула Лена. — Я у нее в гостях была позавчера и куртку забыла. Так вот, я ей позвонила и просила эту куртку принести на работу, а сама за ней приехала... зашла к ней на отделение, но там мне сказали, что она еще не пришла.

— Куртку забыли? — переспросил полицейский, пресекая ее многословные объяснения.

Лена почувствовала неловкость — мол, человек погиб, а она тут о тряпках беспокоится.

— Там в кармане пропуск лежал, — добавила она. — Мне он очень нужен. Мне без него на работу не попасть.

В это время второй, низенький полицейский вытащил откуда-то из-под лежащего тела пластиковый пакет и заглянул в него.

— Какого цвета ваша куртка? — спросил он, как актер на детском утреннике.

— Брусничного, — ответила Лена и пояснила на всякий случай: — Темно-красного.

— Есть такое дело! — Низенький полицейский вытащил из пакета Ленину куртку.

— Вот она, такая куртка! Действительно, темно-красная! Так что слова гражданки подтверждаются!

Лена потянулась было за курткой, но полицейский отступил, строго взглянув на нее:

— Это вещественное доказательство! Мы вам ее отдать не можем! Не положено!

— Но, может, тогда хоть пропуск отдадите? — жалобно проговорила Лена. — Мне пропуск очень нужен, меня без этого пропуска на работу не пустят.

— Вещественное доказательство, — повторил низенький полицейский не так уверенно, но к нему тут же обратился второй, высокий:

— Да ладно тебе, Валентин, какое это доказательство? Видно же, что это ни при чем! Отдай девушке пропуск, у нее и правда неприятности могут быть. А мы ее координаты так и так записали, так что найдем, если понадобится.

— Ну если записали, тогда ладно, тогда мы действительно найдем, ежели что... — И низенький полицейский принялся ощупывать Ленину куртку в поисках пропуска.

Лена почувствовала неприятное ощущение, как будто это ее он ощупывает короткопалыми руками.

— Да отдай ты ей куртку! — каким-то усталым голосом сказал напарнику высокий полицейский. — Понятно же, что никакое это не вещественное доказательство!

— Отдать? — низенький взглянул на Лену с сомнением, потом перевел взгляд на своего напарника и протянул: — Правда, что ли, отдать?

Высокий полицейский ничего не ответил, только посмотрел очень выразительно.

Низенький сложил куртку и протянул ее Лене:

— Ладно, возьмите. Только вы пока никуда из города не уезжайте, может, у нас к вам какие-то вопросы появятся, так чтобы вы всегда были в пределах досягаемости.

— Да я никуда и не собиралась уезжать... — Лена взяла куртку под мышку и пошла прочь. Надевать куртку на себя ей совсем не хотелось, было у нее какое-то неприятное чувство.

И еще у нее перед глазами так и стояла эта картина — что-то бесформенное, накрытое простыней, и торчащий из-под этой простыни лакированный ботинок.

В машине она развернула куртку, чтобы достать из кармана пропуск, и поняла, что больше никогда ее не наденет.

Куртка была невероятно грязна, там, возле тела, на свету, Лена не сразу это заметила. А теперь вспомнила Катькины слова про Валеру, который топтал эту куртку ногами, и убедилась, что это правда, вон они, следы-то.

Лена тут же устыдилась — человека убили, а она из-за куртки злится. Мысли ее обратились к несчастной Катьке. Как же так получилось? Средь бела дня, когда вокруг куча народу...

Тут она вспомнила, как врач ругался с этим слесарем, который перетащил Катьку на улицу из щитовой. Стало быть, убили ее в этой самой щитовой (Лена по работе знала, что это такое). Но как Катька там оказалась? Заманили ее, что ли? Непохоже. Из недолгого общения с бывшей одноклассницей Лена поняла, что Катька — девица тертая, просто так ее никуда не заманишь, она не девочка все же, которую можно конфеткой приманить...

Тут ее размышления прервал звонок телефона.

— Дроздова, где тебя носит? — орал в трубку шеф. Слышно было, что он на пределе.

— Я на объекте, Игорь Саныч, — на голубом глазу соврала Лена, — мы же в пятницу договаривались.

В пятницу шефу позвонила очередная подружка, и он ушел с обеда, так что Лена твердо знала, что разбираться он не станет.

— Ты конкретно где? — Шеф сбавил обороты, но Лена прокричала, что связь плохая, и отсоединилась.

Потом она выбросила из головы все посторонние мысли и сосредоточилась на дороге.

Вера Сомова хотела свернуть на тропинку, чтобы срезать дорогу, но вовремя опомнилась. Нет уж, теперь никаких уединенных тропинок, никаких срезаний, она будет ходить по главной дороге, пусть так и дольше. Ну это же надо такому случиться, чтобы человека зарезали прямо на территории больницы!

К своей сменщице Катерине Супруновой Вера не испытывала теплых чувств. Разумеется, такой смерти она ей не желала, но Катька вечно раздражала ее своей безответственностью и совершенным разгильдяйством. Не то чтобы Вера так уж переживала за больных, которые рисковали получить от Катьки неквалифицированную медицинскую помощь, нет, больные Веру волновали мало. Ее очень напрягало, что Катька вечно опаздывает, постоянно бегает курить, что часто ей звонят по телефону разные мужские голоса, а еще она покупает себе нарядные яркие тряпки и живет, по ее же собственному выражению, исключительно для себя, любимой.

Вот этому-то Вера безумно завидовала, поскольку она жила совершенно по-другому. У Веры была семья — муж и свекровь. Она была замужем больше пяти лет и успела убедиться, что муж ее совершеннейший козел. Все-таки она была медиком и умела смотреть правде в ее неприятное лицо. Муж был неказист, неумен и трусоват. И зарабатывал мало. Словом, от него не было толку как днем, так и ночью.

Но это было бы еще ничего, если бы не свекровь. Единственным сильным качеством в характере мужа было то, что он обожал свою маму. И мама этим беззастенчиво пользовалась.

Она объявила себя больной, и муж, разумеется, поверил и еще заставлял Веру покупать дорогущие лекарства. От консультации врачей свекровь упорно отказывалась — ясное дело, те скажут, что болезни ее все выдуманные. Уж Вера-то видела ее насквозь, уж она-то разбиралась, болен человек или просто придуривается.

Свекровь ходила по дому с палкой, постоянно громко стонала и жаловалась то на спину, то на голову, то на сердце, дескать плохо, плохо, в глазах темнеет. На предложение Веры вызвать «Скорую» свекровь отказывалась — ничего, отлежусь, говорила она слабым голосом и поднимала глаза к потолку.

Иногда свекровь выходила гулять. Она ковыляла, артистично опираясь на палку, сгорбившись, едва переставляя ноги и то и дело останавливаясь, чтобы передохнуть.

Но это продолжалось только до того места, где дорожка переставала просматриваться из окна. Свекровь не знала, что Вера как-то не поленилась и выскочила на лестницу, где из пыльного окошка видела, как свекровь, выйдя из поля зрения, зажала палку под мышкой и пошла бодро и уверенно, как все прочие люди.

Говорить обо всем мужу было бесполезно, сделала Вера однажды такую глупость, так такого наслушалась. И свекровь немедленно устроила себе сердечный приступ, опять-таки обошлись без «Скорой», все исключительно на словах.

Вот потому-то Вера и завидовала Катьке, что они оба ей дико осточертели.

Сейчас противный голос внутри напомнил ей, что завидовать нехорошо, что вот чем ее зависть Катьке обернулась. Вера от голоса отмахнулась — у каждого своя судьба, значит, Катьке на роду написано было вот так умереть.

Вера посмотрела на часы и охнула. Она должна была быть дома полтора часа назад! И накормить свекровь завтраком, потому что та назло и с кровати не встанет.

Господи, неужели ей это на всю жизнь?

Вера уже видела впереди ворота больницы, как вдруг с боковой дорожки выскочила блондинка в голубой форме медсестры. Волосы у блондинки были тщательно уложены, а губы густо накрашены ярко-алой помадой. Вера тотчас расстроилась,

представив, какой у нее ужасный вид после суток
дежурства — бледная вся, как больничная про-
стыня, а глаза красные от недосыпа.

Блондинка схватила Веру за руку.

— Слушай, ты с ортопедического? — спросила
она, слегка задыхаясь. — Что у вас там случилось,
убили кого-то?

— Сменщицу мою, Катю, — машинально ответила Вера и сделала грустное лицо, — представ-
ляешь, шел себе человек на работу, ничего такого
не ожидал, и не рано даже, она всегда опаздывала,
а тут вдруг... в общем, зарезали ее.

— С ума сойти! — ахнула блондинка и прикрыла рот рукой. — И никто ничего не видел? Там же
с остановки народ прямо прет — и мы, и посети-
тели...

— Да она не с той стороны шла, — неизвестно зачем принялась объяснять Вера, — она через
дырку в заборе всегда проходила, потом по тро-
пиночке, она вон в том доме живет... жила... ей до
работы всего ничего, не больше пяти минут.

Тут до нее дошло, что Катьки больше нету, что
не на кого будет ругаться и не у кого будет стрель-
нуть сигаретку, когда совсем припрет и хочется
или сбежать из дому или придушить свекровь по-
душкой. Вере стало нехорошо, она пошатнулась
и помертвелыми губами отвечала еще на вопросы
блондинки, потом опомнилась, сообразив, что та
спрашивает из любопытства, а Вере лясы точить
некогда, а то свекровь при встрече ее на завтрак
съест.

Блондинка проследила, как Вера скрылась за воротами, затем отошла в сторону и достала мобильный телефон.

— Я тебя поздравляю, — насмешливо сказала она в трубку, — твои уроды опять облажались. Они убили не ту девицу. А вот так, — ответила она на заданный на том конце вопрос, — Катя-то она Катя, и работала в этой больнице в ортопедическом, да только жила прямо напротив, в пятиэтажке зачуханной. И сам посуди, стала бы она ночью глубокой с работы куда-то ехать? Наврала все та девка водиле, что медсестрой работает, чтобы он с нее денег поменьше взял.

Блондинка замолчала, выслушивая ответ, потом снова заговорила:

— Ну да, с Катькой этой она явно знакома была, да только теперь у нее ничего не спросишь... Вот так вот... Не знаю, менты этого идиота слесаря взяли, который тело из щитовой на дорожку перенес. Не иначе, на него все и повесят... это уж не моя забота...

Блондинка убрала мобильный телефон и пошла к воротам, где на стоянке была припаркована машина. Никто не обратил на нее внимания — ну вышла сестричка по делу, забыла что-нибудь. Там таких, как она, не одна сотня.

В машине блондинка сняла белокурый парик и стерла яркую помаду, затем накинула поверх формы легкий плащ и решила, что доедет так, не переодеваясь.

В офис Лена успела только перед самым концом работы.

— Лен, а тебя там ждут! — крикнула секретарша Дашка.

— Кто еще? — поморщилась Лена, она безумно устала, хотела пить и есть, и ей совершенно не улыбалось в конце рабочего дня утрясать какие-то вопросы.

— Сама посмотри! — усмехнулась Дашка.

Дашка была девица невредная, приходилась шефу не то двоюродной племянницей со стороны жены, не то троюродной сестрой, оттого он и взял ее на работу. Была она приличных габаритов, ходила вечно в старом джинсовом комбинезоне, не красилась и стриглась коротко, чтобы время не тратить, как признавалась она сама. Сотрудницы только пожимали плечами — на что тогда его тратить, если не на внешность? Что у Дашки — семеро по лавкам, что ли? Да у нее и парня-то нет, и если в таком виде будет ходить, то и не будет никогда.

Дашка только отмахивалась. Но в делах у нее был порядок, шеф никогда не ругался. И с сотрудниками Дашка держала себя просто, не кичилась родством с начальством.

Лена прошла в свой «кабинет», как шутили сослуживцы, — просто угол комнаты, отгороженный шкафом для бумаг. Заглянула за шкаф и обомлела. В тесное пространство между столом и стенкой был втиснут еще один шкаф. Только живой. Ну да, тот самый тип, который был у Катьки в субботу... как же его звали-то...

— Анатолий! — крикнула Дашка ей вслед. — Вам, может, еще кофе сварить?

— Спасибо, — прогудел Толик, — пока не надо.

— Что ты тут делаешь? — прошипела Лена. — Как ты вообще меня нашел?

Она дико разозлилась. Приперся, сотрудники его видели, да еще и расселся так, что ей и не войти. Стул ее занял, а она так устала — ноги не держат. Кофе ему Дашка подает — тоже мне, барин какой!

— Чего тебе? — неприветливо спросила Лена.

— Поговорить надо. — Толик сделал попытку приподняться со стула, но тогда он заполнил бы собой весь закуток, так что он махнул рукой и снова сел на стул, который безнадежно скрипнул, приготовившись, надо думать, к самому худшему.

— Не здесь. — Лена развернулась и отправилась к двери, мрачно глядя перед собой. У двери стояла Дашка — в куртке и джинсовой кепке, за спиной — рюкзачок.

— Лен, шеф ушел, остальные с объектов не вернутся, я тоже пойду, ты закроешь?

— Закрою. — Лена посмотрела на Дашку с благодарностью.

Определенно, хорошая девчонка, с пониманием.

— Ну? — спросила Лена, когда дверь за Дашкой закрылась. — Излагай. Только покороче.

— Валерку менты взяли. — Толик наконец дал стулу перевести дух.

— С чего эту вдруг? — удивилась Лена. — Они же вроде слесаря того, как его... который Ка... тело нашел.

— Его пока тоже держат, на всякий случай, а на Валерку соседка настучала, они с Катькой тогда ночью здорово поругались, он пьяный орал разное-всякое.

— И что? — Лена подошла к Толику ближе и попыталась взглянуть на него в упор, но глаза ее оказались на уровне воротника пиджака. Того самого, с субботы.

— Валерка ни в чем не виноват, — сказал Толик, — никак не мог он ее убить.

— С этим не ко мне, — холодно проговорила Лена, — пускай полиция разбирается, кто ее убил. Я к твоему Валере, сам понимаешь, теплых чувств не испытываю. У тебя все?

— Нет, не все, — твердо ответил Толик. — С Валеркой-то как-нибудь разберемся, он в понедельник утром машину чинил одному там во дворе. Тот мужик на дачу уехал, как вернется — пойдет в полицию и все расскажет. Так что будет у Валерки алиби.

— А если не захочет пойти? — прищурилась Лена.

— Захочет, — пообещал Толик, и Лена поверила.

— Слушай, а тогда я-то тебе зачем? — осторожно спросила она, поскольку габариты Толика не располагали к громкому крику и размахиванию руками.

— Тут такое дело... — Толик вздохнул, — ты не поверишь, но Катерина... в общем, она... она нарочно тебя к себе в гости заманила.

— Чего? — Лена отскочила от него подальше и заорала: — Да ты что несешь? Нарочно выдумал, чтобы ко мне подкатиться? Так придумал бы что-нибудь правдоподобное, в такое я не поверю! Ни за что не поверю! Это же надо!

Она еще что-то кричала обидное, Толик в это время спокойно ждал. Не пытался ее остановить, не уверял, что она ему сто лет не нужна была и далее в таком духе.

Наконец Лена утомилась и замолчала.

— В общем, так... — начал Толик, — значит, когда ты ушла, Валерка еще долго изгалялся, он вообще-то парень противный, когда выпьет. Уж я-то знаю. Потом кто-то из девиц торт в холодильнике нашел, чаю заварили, под торт снова выпили и вроде как все устаканилось. А минут через сорок вдруг раздается звонок в дверь. Мужик какой-то спрашивает — такси вызывали?

Катерина как его увидела, так с лица побледнела и вышла с ним на лестницу. Что-то долго ее не было, я потихоньку дверь открыл, смотрю — мужик тот Катьку у окна в угол зажал и ругается.

Ты, говорит, такая-сякая, мне обещала, что она у тебя будет, деньги взяла, а ничего не сделала. Так и знал, говорит, что ничего тебе поручить нельзя, пьянь хроническая.

— А она что? — недоверчиво спросила Лена.

— Ну, Катька-то, конечно, пьяная была, но тут со страху протрезвела маленько. Я, говорит, все сделала, а она ушла, что я ее, силой, что ли, держать стану? Врешь все, тот тип говорит, деньги взяла — значит, хоть в сортире ее запереть должна. И ее за горло схватил, а я тут вышел и спрашиваю, что, мол, происходит, Катя?

— А он что? — усмехнулась Лена.

— А он, как меня увидел, так сразу Катьку бросил и ушел. Катька отдышалась и тоже ушла. Я в окошко выглянул — и правда такси от подъезда отъезжает.

Прихожу в квартиру — а там дым коромыслом, Катька с Валеркой ругаются. Остальные все разошлись уже, а эти как завелись. Катька злится, что из-за Валеркиных выкрутасов такое дело не выгорело. Оказывается, мужик этот к ней подвалил недели две назад и сказал, чтобы она с тобой встретилась вроде бы случайно, набилась в подруги, а потом к себе в гости заманила. И чтобы ты непременно без машины была. А потом чтобы Катька позвонила по телефону (он номер дал), и он приедет на такси. А дальше уже не Катькина забота, она деньги получит, и все. А Валерка-урод якобы все испортил, напился и начал к тебе приставать, вот ты и ушла раньше времени.

— Да она сама-то... — вскипела Лена, — сама начала со мной драться, приревновала своего этого Валерку, да нужен он мне был как собаке телевизор!

— Вот-вот, Валерка ей тоже так сказал. Сначала вообще не поверил, пока я не подтвердил, что своими глазами того мужика видел. Тут он озверел, что она с ним раньше своими планами не поделилась. С тобой поделишься, она отвечает, — так ты потом все деньги пропьешь или на какую-нибудь ерунду потратишь!

Начали они из-за денег ругаться, а я ушел. Только мне и дела, что их слушать. Соседка говорит, они и подрались потом, она уж грозилась патруль вызвать. Вот я и думаю, может, Катерину тот мужик прирезал, очень он был на нее зол...

Лена молчала. История, рассказанная Толиком, походила на выдумку. Ну кому она, Лена, могла понадобиться? Для чего кому-то с ней знакомиться, да еще так сложно?

С другой стороны, если хоть немного допустить, что Толик не врет, то все сходится. Их с Катькой вроде бы случайная встреча в торговом центре и Катькина неуемная радость. Если бы просто так встретились, то кивнули бы друг другу да и разошлись. А тут расселись в кафе, как старые добрые подруги. И уж вовсе незачем было Катьке приглашать ее на день рождения, ну ни с какого боку Лена ей не нужна! Ничего у них общего нету, да и раньше никогда не было!

— Ничего не знаю, — сказала Лена твердо, — про Катькины дела ни малейшего понятия не имею. Ничего она мне не говорила, ни на что не намекала, мы вообще до этого десять лет не виделись. Я — вся на виду, никаких у меня тайн нету. Так что спасибо тебе, конечно, что зашел, только уж давай простимся прямо сейчас. Катьке уже ничем не поможешь, а с Валерой сам разберешься. И сюда больше не приходи. Кстати, как ты меня нашел?

— А я пропуск твой видел, там и название фирмы, и фамилия твоя была...

Лена только головой покачала.

Начальник правого полка открыл глаза и застонал.

Над ним стоял толстый бородатый скиф в шлеме, украшенном волчьей головой. Увидев, что ассириец открыл глаза, он что-то проговорил на своем варварском наречии. Ассириец разлепил разбитые, спекшиеся губы и прохрипел:

— Не понимаю!

Варвар повторил свои слова, в которых звучало звериное рычание и птичий клекот. Убедившись, что ассириец его не понимает, обернулся, что-то проклекотал, и рядом с ним появился другой варвар, молодой и худощавый.

— Кто ты? — спросил этот варвар, немного коверкая ассирийские слова.

— Я — Невнодсор, — гордо ответил ассириец, — начальник правого полка царской армии!

— Начальник полка, которого больше нет! — усмехнулся молодой скиф. — Ты храбрый воин. Ты убил в бою нашего повелителя.

— Слава Баалу! — прохрипел ассириец.

— Скоро ты сможешь лицезреть своего Баала и остальных своих богов. Наши старейшины пове-

лели сжечь тебя на погребальном костре повелителя.

— Я не боюсь смерти, — проговорил ассириец радостно, — сгореть вместе с вражеским царем — что может быть почетнее для воина! Ты принес мне хорошую весть!

— Ты прав, ассириец. Это — хорошая смерть, такая же хорошая, как смерть в бою.

— Чем закончился бой?

— Половина вашего войска погибла, другая половина отступила, преследуемая нашими всадниками.

— Великий царь пришлет новое войско, вдвое большее. Вы будете разбиты и покорены! Ваших властителей в цепях приведут в Ниневию, в город львов! Их выставят на торговой площади, как диких зверей, на потеху черни, а потом продадут в рабство хеттским земледельцам и набатейским торговцам!

— Этого не будет. У нас нет городов и селений, которые можно разрушить. Мы — как вода, которую нельзя ухватить руками, как вода, которая везде найдет дорогу. Нельзя победить воду, нельзя победить ветер. Ваше войско будет годами блуждать по степи, оно будет преследовать нас, мучаясь от голода и жажды. Наши всадники будут отступать — и снова нападать на ассирийское войско, они будут убивать вас по одному, по двое, пока не убьют всех, до последнего человека. Наши повелители и правда придут в Ниневию, но они придут в нее как победители, как владыки. Они разрушат город крови, логово львов, а жителей его уведут в рабство.

Впрочем, ты этого не увидишь, потому что будешь сегодня на закате принесен в жертву нашим богам. Ты будешь в свите властителя, которого убил.

Молодой скиф повернулся к другому, бородатому, и зарычал, заклекотал на своем языке — должно быть, передавал тому суть разговора с ассирийцем.

Затем оба ушли.

Начальник уничтоженного полка попытался пошевелиться, но его руки и ноги были крепко связаны.

Тогда он успокоился в ожидании неминуемого.

Степное солнце нещадно палило.

Наконец оно начало клониться к закату, смиряя варварскую жестокость своих лучей.

Тогда рядом с ассирийцем появились двое скифов, они подняли его, положили на коня и куда-то повезли.

Путь был недолгим, в конце этого пути начальника полка сняли с коня и положили на помост, где уже было сложено много смолистых дров, а в самом центре помоста, на носилках из слоновой кости, восседал мертвый скиф — тот самый, которого начальник полка поразил своим мечом.

Скиф был одет в дорогие одежды, вышитые золотом, на челе его был узкий золотой обруч, покрытый искусной резьбой и украшенный красным камнем. В мертвую руку скифа был вложен меч.

Вокруг мертвого скифа сидели несколько красивых женщин в дорогих одеждах и несколько мужчин в одеждах попроще — должно быть, жены и слуги знатного мертвеца. Они молчали, глядя на что-то, невидимое прочим. Только одна женщина, самая юная, тихо, беззвучно плакала.

Вокруг помоста толпились скифы, они смотрели на мертвого владыку и о чем-то рычали и клекотали между собой. Среди скифов выделялись двое — молодые, рослые, чем-то схожие друг с другом. На щеке одного из них был длинный кривой шрам.

Солнце опускалось к горизонту.

Вперед вышел старый скиф с длинной седой бородой. Он поднял руку, указывая на темно-красный солнечный диск, и что-то проклекотал. Тут же к помосту подбежали несколько молодых слуг. Они деловито и ловко вскарабкались на помост, так же деловито и ловко закололи жен и слуг покойного властителя, но не тронули ассирийца. Затем, когда слуги сделали свое дело, седобородый скиф неспешно подошел к помосту, взял в руки кресало и высек огонь.

И в то мгновение, когда солнце закатилось за горизонт, пламя объяло похоронный помост.

Начальник несуществующего полка знал, что не должен кричать от боли, не должен показывать свою слабость — и он не кричал. Он не кричал, когда языки пламени облизывали его плоть. Он не кричал, когда пламя начало его пожирать. Он смотрел на окружающих костер скифов, и он увидел, как, по знаку седобородого, двое чем-то схожих между собой молодых воинов бросились в костер.

Старый волхв Артаз пристально, не мигая и не щурясь, посмотрел на опускающееся солнце, посмотрел на погребальный помост и проговорил веско, сурово:

— Повелитель прожил славную жизнь и умер славной смертью, смертью, достойной воина. Теперь он уходит от нас в счастливые края. Он разделит трапезу с богами. В этом пути его будут сопровождать жены и слуги. А еще его будет сопровождать знатный ассириец, чей меч оборвал жизнь повелителя.

Нам же сегодня надлежит выбрать нового повелителя — того, кто поведет наше войско за собой, того, кто будет счастлив в бою и принесет нам славу и богатые трофеи. Вы знаете, как выбирали владыку наши отцы и деды.

У нас есть два претендента на высший сан. Они равны происхождением, оба они — сыновья покойного владыки. Они равны доблестью — оба славные воины. Сейчас я запалю погребальный костер, потом подам команду, и тот из сыновей властителя, кто сможет первым подняться к отцу и снять с его головы священный венец, — тот и унаследует его власть.

Окружающие одобрительно загудели.

Артаз взмахнул рукой, и царские слуги взбежали на помост, чтобы умертвить спутников владыки. Когда они сделали свое дело, Артаз высек священный огонь и зажег дрова на помосте.

Заранее политые маслом, они вспыхнули ярко и радостно. Скоро пламя охватило весь помост, и тогда Артаз снова величественно взмахнул рукой.

Сыновья повелителя бросились в погребальный костер, как в ледяную воду. Они с двух сторон карабкались по пылающим дровам, закрывая лица от пламени. *Один из них, Арнабад, запахнул лицо краем плаща, защищая глаза, и вслепую шарил в огне рукой, пытаясь дотянуться до отцовского чела. Второй, Кемерис, казалось, не чувствовал пламени. Он раздвигал огонь, как колючий кустарник, и приближался к повелителю.*

И тут горящие дрова у него под ногами разъехались, и Кемерис по пояс провалился в бушующее пламя. В рядах его приближенных раздался горестный вопль.

Тем временем Арнабад дотянулся до венца на голове мертвого владыки, схватил раскаленный обруч, не замечая боли в обожженной руке, и тут же метнулся назад, вывалился из пламени и упал на землю рядом с помостом.

Его молодой оруженосец подскочил, набросил на царевича свой плащ, сбил жадные языки огня. Кто-то из слуг поднес победителю ковш вина. Царевич жадно выпил, поднялся на ноги и поднял над головой отцовский венец.

Кемерис безуспешно пытался выбраться из огня, но никто не смел ему помочь, никто не смел нарушить древний обычай. Наконец он издал крик, полный страдания, и замолк.

Старый Артаз подошел к Арнабаду, взял у него из рук венец и возложил на голову царевича.

— Боги сделали свой выбор! — провозгласил он торжественно. — Мы обрели нового владыку!

Пантелеич, по обыкновению, сидел на шаткой табуретке перед входом в гараж, подставив солнцу свое широкое лицо, когда перед ним

остановилась черная машина с забрызганны-
ми грязью номерами. Передние дверцы машины одновременно открылись, из нее выбрались
на тротуар два человека в одинаковых кожаных
куртках. Один был наголо выбрит, голову второго
украшал жесткий рыжеватый ежик волос. У рыжего было такое выражение лица, будто он за что-
то смертельно обижен на весь окружающий мир,
у бритоголового — будто этот самый мир что-то
ему задолжал.

— Ты, что ли, Пантелеич? — осведомился
бритый.

— Предположим, что я. А вы, ребятки, кто такие и зачем пожаловали? По делу или так?

— Поговорить надо. — Бритоголовый осмо-
трелся по сторонам.

Пантелеич внимательно оглядел незнакомцев.
Сразу видно, неприятные ребята, даже опасные —
но при его бизнесе нельзя быть чересчур разбор-
чивым.

— Поговорить? Отчего не поговорить! — Пантелеич поднялся с табуретки и вошел в гараж. Гости последовали за ним.

— И о чем же вы, ребятки, хотите поговорить? — осведомился Пантелеич.

— О зеленой «Хонде», — выпалил рыжий.

— О какой такой «Хонде»? — переспросил
Пантелеич.

Он почувствовал неприятный холодок в животе и подумал, что непутевый Костик втянул-таки
его в неприятности.

— Ты сам знаешь, о какой, — миролюбивым тоном проговорил бритоголовый, и в его руке вдруг возникла металлическая палка. Пантелеич видел такие палки у местных бандюганов — они складывались до размера карандаша, а потом одним движением раскладывались, превращаясь в серьезное оружие.

Бритоголовый шагнул вперед и шарахнул своей складной палкой по лобовому стеклу «Ситроена», который стоял посреди гаража. Стекло рассыпалось в мелкую пыль.

— Вы, ребятки, что такое устраиваете? — забормотал Пантелеич. — Вы зачем старого человека обижаете? Вы думаете, если старый человек, так за него и заступиться некому? У меня, между прочим, друзья есть очень серьезные... если вы меня обидите, они могут рассердиться.

— Ты, старый человек, лучше нас не серди! Твои друзья если и есть, они сейчас далеко, а мы — вот они, рядом. И можем тебе не только стекла побить...

С этими словами бритоголовый снова угрожающе замахнулся своей палкой.

— Не надо, ребятки! — вскрикнул Пантелеич. — Вы зеленой «Хондой» интересуетесь? Была, была у меня такая машина, только я ее уже разобрал. Разобрал и детали почти все продал. Значит, она ваша была? Так я же не знал... если бы я знал, что ваша, я бы не стал с ней связываться. Если хотите, я вам могу оставшиеся детали отдать... у меня, правда, есть на них покупатели, но ежели вам нужно...

— Забудь! — прежним миролюбивым тоном проговорил бритоголовый. — Плевать нам на эту «Хонду».

— А тогда чего же вы от меня хотите?

— Скажи, кто тебе эту «Хонду» притаранил.

— Кто притаранил? — замялся Пантелеич. — Дак, ребятки, мне каждый день какие-то машины пригоняют, шпаны всякой много, разве же всех упомнишь?

— Ты что — опять за свое? — Бритоголовый снова взмахнул дубинкой и вдребезги разнес боковое стекло многострадального «Ситроена».

— Ну что, освежил память? — осведомился он сочувственно.

— Освежил, освежил! — залопотал Пантелеич. — Есть тут такой мелкий шкет, Костиком его зовут. Вот он мне ту машину и пригнал. Я его хотел отшить, да пожалел — очень уж ему деньги были нужны.

— Ну ты прямо святой херувим! — ухмыльнулся бритоголовый. — Пожалел! Надо же! А где же этого Костика можно найти?

— Где его найти — это я не знаю, — начал Пантелеич, но, заметив, что бритоголовый снова поднимает свою дубинку, торопливо продолжил: — Его самого — не знаю, а только он ошивается при Севыче. А Севыч — это шпана покрупнее, и его вы всегда найдете в заведении «Привал», которое на Пятой Красноармейской.

— Ну ладно, на первый раз мы на тебя зла не держим! — проговорил бритоголовый, и оба громилы покинули гараж.

Через двадцать минут они вошли в рюмочную «Привал».

Это было обычное заведение такого рода, где местные алкаши всегда могут найти рюмку дешевой водки с немудреной закуской и самое главное — слушателей, готовых часами внимать их воспоминаниям. Здесь можно было встретить и бывшего дирижера симфонического оркестра, и бывшего доцента, некогда преподававшего историю партии, и бывшего дипломата, и бывшего майора-артиллериста, и даже одного бывшего главного конструктора какого-то суперсекретного изделия, о котором он и сейчас мог говорить только шепотом.

Оглядев эту бывшую публику, напарники подошли к стойке и спросили возвышавшуюся за ней монументальную блондинку, где они могут найти Севыча.

— У меня здесь не справочное бюро! — отчеканила блондинка.

Бритоголовый потянулся было за своей складной дубинкой, но перехватил нехороший взгляд громилы за ближним столиком и передумал. Вместо этого он положил на стойку купюру и переспросил примирительным тоном:

— Точно не справочное?

— Ну для кого как... — протянула блондинка совсем другим голосом. — Хорошим людям можно и помочь... почему же не помочь... я же вижу, что вы — люди деловые, воспитанные, у вас к Севычу небось дело какое-то имеется?

— А как же! Конечно, дело!

— Ну коли так, почему не посодействовать? — И блондинка показала глазами на лысоватого типа за угловым столиком, который вполголоса разговаривал по мобильному телефону.

Напарники подсели к Севычу. Тот, не прекращая разговор, хмуро покосился на них — мол, вы еще кто такие? Я вас за свой стол не приглашал!

Но напарники ответили ему такими чугунными взглядами, что Севыч поперхнулся.

— Ладно... — проговорил он в трубку, откашлявшись, — ты меня понял. Тебе же будет лучше, если ты поторопишься. Ты меня знаешь, со мной лучше не шутить!

Спрятав трубку, он спросил незнакомцев:

— Вам чего надо, мужики?

— Не чего, а кого, — поправил его бритоголовый, который обычно говорил за обоих.

— И кого же?

— Мы слышали, что ты знаешь, где можно Костика найти. Ты ведь с ним знаком.

— Да я сам его ищу, — промямлил Севыч. — Он мне, между прочим, денег должен.

Тут на сцену вышел рыжеволосый. То есть ни на какую сцену он, конечно, не вышел, за неимением оной, и даже ничего не сказал. Он вытащил из кармана кнопочный нож, выщелкнул из него лезвие, растопырил на столе левую руку и принялся вонзать нож в столешницу аккуратно между своими пальцами.

Нож сверкал, удары звучали все быстрее и быстрее.

Севыч следил за ножом как завороженный. Нож двигался так быстро, что взгляд Севыча не поспевал за ним. И вдруг очередной удар пришелся не между пальцами рыжеволосого, а рядом с лежащей на столе рукой Севыча. Причем так близко, что лезвие скользнуло по его руке и пришпилило к столу манжету его рубашки.

— Ну так как насчет Костика? — напомнил о себе бритоголовый. — Поможешь нам его найти?

— По... по... попробую... — проблеял Севыч, покосившись на лезвие ножа.

Он снова достал свой мобильный телефон, потыкал в него толстым пальцем и протянул:

— Кристинка-а! Узнае-ешь? Не узнаешь? Бога-атым буду! Точно, Севыч! Там рядом с тобой Костика нет? Точно нет? А ты ему кое-что передать можешь? Передай, что я его очень прошу заскочить в «Привал». У меня для него работа есть. Много не заработает, но должок я ему, пожалуй, спишу. Если он успеет за полчаса — его счастье, не успеет — отдам эту работу другому. Да, точно.

Снова убрав телефон, он быстро взглянул на нож в руке рыжего и проговорил:

— Придет. Я его знаю. Вы его подождите тут полчасика, а я пойду, у меня дела.

— Никуда ты не пойдешь, пока Костик не придет, — возразил бритоголовый. — Посиди с нами, можешь выпить чего-нибудь, я, так и быть, угощаю.

— Не хочется что-то...

— Ну не хочешь — как хочешь!

Все трое замолчали и уставились на входную дверь.

Заведение было популярное, в дверь все время кто-то входил и выходил, но Костика среди них не было.

Бритоголовый скосил глаза на часы Севыча и протянул:

— Полчаса прошло... похоже, не очень-то он заинтересовался твоим предложением.

На лбу Севыча выступили мелкие капли пота, однако вытереть их он не решился.

И в это время дверь снова открылась.

На пороге появился белобрысый парень с круглыми совиными глазами и белесыми ресницами. Он оглядел заведение, заметил Севыча и направился к его столу.

— Здравствуй, Севыч! Кристина сказала, что ты меня искал? Что у тебя типа есть для меня работа?

— Искал, — кивнул тот. — И работа есть...

— И что ты мне типа простишь за эту работу весь долг?

— Прощу, прощу! — поморщился Севыч. — Только работа не у меня, а вот у них. — И он кивнул на своих соседей. — Ну что, ребята, я вам, наверное, больше не нужен?

— Не нужен, не нужен, — кивнул бритоголовый, — иди куда хочешь, мы тут сами разберемся.

Севыч с явным облегчением вскочил и припустил к выходу.

— А ты присядь, — приказал бритоголовый Костику.

Тот проводил Севыча удивленным взглядом и опустился на освободившееся место.

У него было какое-то нехорошее предчувствие. Словно он попал из огня в полымя. Потому что, судя по всему, эти двое незнакомцев были куда опаснее, чем Севыч.

— Так что за работа? — спросил все же Костик, переводя взгляд с одного на другого и пытаясь понять, кто из них главнее.

— Работа простая, — ответил бритоголовый. — Это ведь ты Пантелеичу пригнал зеленую «Хонду».

Интонация была не вопросительной, а утвердительной, но Костик заморгал и пролепетал:

— Не знаю никакой «Хонды».

Затем он попытался вскочить, но рыжий напарник повторил свой трюк и пришпилил рукав Костика ножом к столешнице.

— Я тебя пока ни о чем не спрашивал, — процедил бритоголовый. — Я знаю, что «Хонду» пригнал ты.

— Тогда что же вам нужно? — проблеял Костик дрожащим голосом и огляделся по сторонам, прикидывая, как бы сбежать от этих отморозков. Выходило, что никак.

— Если это ваша «Хонда», то я прошу прощения... я же не знал... а только нехорошо машину бросать без присмотра, нехорошо людей вводить в искушение.

— Насчет искушения я с тобой спорить не буду. Бывает, что очень трудно устоять. Ты мне только скажи, где ты эту самую «Хонду» нашел, и мы тебя отпустим.

— Точно отпустите? — недоверчиво переспросил Костик.

— Куда уж точнее! — Бритоголовый усмехнулся одними губами, глаза его оставались холодными и неприязненными.

— Так неподалеку от заправки, — суетливо забормотал Костик. — Метрах в ста от этой заправки.

— От какой заправки? Говори яснее! А лучше вот что — ты нам покажи то место, где эта машина стояла.

— Покажу, покажу, — испуганно лепетал Костик, — почему не показать хорошим людям!

Напарники поднялись из-за стола и двинулись к выходу. Как-то так получилось, что Костик поднялся вместе с ними и к выходу пошел тоже вместе с ними — причем бритоголовый шел впереди Костика, а рыжий — за его спиной, так что Костик, зажатый между ними, при всем желании не мог никуда деться.

На душе у него стало еще хуже, чем прежде.

В «Привале» он хоть был на людях, и вряд ли эти два отморозка что-нибудь с ним там сделали бы на глазах у этих людей, а вот на улице — все возможно.

Однако ничего страшного с Костиком не случилось.

После того как он показал опасной парочке то место, где нашел злополучную «Хонду», громилы переглянулись между собой, и бритоголовый сказал, что он может идти.

Костик перевел дыхание, отошел подальше, достал свой телефон и набрал номер Севыча.

— Привет! — проговорил он жизнерадостным голосом. — Это Константин!

— Здорово, Костик! — ответил Севыч. — Что звонишь? Никак хочешь мне должок вернуть?

— А я тебе его уже и вернул. Я затем тебе и звоню.

— Вернул? Как это вернул?

— А вот так. Ты же сам мне сказал, что спишешь долг, если я для тех двоих бандюганов кое-что сделаю.

— Ну мало ли что я тебе говорил...

— Мало не мало, а только они эти слова подтвердили. И еще они мне сказали, что если ты упираться будешь — они сами с тобой поговорят. Я им, между прочим, очень помог, так что мы с ними теперь, можно сказать, по корешам.

Это было, несомненно, преувеличение, но в данной ситуации вполне простительное.

— Так что — ты меня понял?

Севыч на мгновение задумался. Он вспомнил ту странную парочку, которая подкараулила его в «Привале», вспомнил, как рыжий ловко управлялся с ножом, и нехотя проговорил:

— Ладно, понял, понял!

— Так что должок мой погашен?

— Погашен...

— Ну и отлично! Пока-пока!

Лена едва доехала до дома, до того была зла на весь мир. Ну и денек сегодня выдался, врагу злейшему не пожелаешь! Утром поехала за курткой и едва не наткнулась на Катькин труп. Потом на работе заморочки, а в конце дня — нате вам, Толик пожаловал, как снег на голову! Да еще и рассказал совершенно бредовую историю про Катьку. Прямо детектив какой-то! Да кому нужно было заманивать куда-то ее, Лену? Кому она вообще нужна-то?

С некоторых пор Ленина самооценка очень понизилась, чуть на нет не сошла. Казалось бы, все у нее было хорошо — удалось устроиться в приличную фирму, карьерный рост намечался. С внешностью тоже вроде бы все было неплохо — не фотомодель, конечно, но и не в поле обсевок, как говорила когда-то бабушка. Никаких особенных дефектов, фигура неплохая, лишнего веса ни граммулечки, волосы хорошие, густые. И цвет необычный, натуральный пепельный.

«Эх, — приговаривала бабушка, заплетая внучке косы, — видела бы ты мои в твои годы».

«Да мне и этих хватит!» — смеялась Лена.

Бабушки давно нет, а как подойдет Лена к зеркалу, так и вспомнит ее, волосы — это у них наследственное по женской линии. Ну еще квартира, конечно, от бабушки досталась.

С Андреем долго встречались, Лена считала, что все у них серьезно. Общие друзья, общие интересы, все-таки больше года прошло. И всем было хорошо известно, что они с Андреем в отношениях, Лена ни с кем другим даже легкого флирта не позволяла. Не то чтобы себя так уж сдерживала, просто не хотелось.

Вместе они не жили, Лене самой в голову не приходило это Андрею предложить. Он, конечно, говорил про то, как ценит свое личное пространство, но дело не в этом. Квартирка небольшая, Лене и самой-то иногда там тесновато, а тут еще мужчина будет постоянно торчать. Ни расслабиться после работы, ни в ванне полежать, ни красоту навести, ни по телефону поболтать. Ужин опять же нужно готовить и все время себя в руках держать.

Это бабушка так Лене твердила: с мужчиной один раз расслабишься — потом пожалеешь, рано или поздно вспомнит он тебе, как распустехой перед ним появилась, назовет неряхой. Никаких ошибок нельзя делать. Один раз блинчики подгорят — при любой ссоре вспомнит, косорукой назовет. «А если не ссориться?» — по наивности спрашивала Лена.

Бабушка только отмахивалась — так не бывает. Так что если не хочешь жизнь себе испортить, то и не начинай, если все несерьезно у вас. Лена тогда еще спросила, как же понять, когда серьезно, а когда нет. Бабушка улыбнулась и сказала, что это объяснить невозможно, но каждая женщина это поймет, когда время наступит. Когда уразумеешь, что жить без него не можешь, и все мелкие обиды запросто простишь, просто внимания не обратишь.

Да, Лена помнит, что разговоры такие они с бабушкой вели, когда ей лет четырнадцать было, не больше, а потом уж она бабушку слушать перестала.

Но, видно, запали в душу слова те, потому что с Андреем вела она себя как раз так, по бабушкиным заветам. Он, конечно, иногда у нее оставался, даже кое-какие вещички оставлял, но Лена никогда его не привлекала по хозяйству помочь и ключи от квартиры не давала. Их обоих такие отношения устраивали.

Все хорошо было, в отпуск в июне собирались в Испанию. На восьмое марта получилось четыре выходных, сняли большой компанией коттедж в области, покатались на лыжах, отдохнули, оттянулись, потом Андрей в командировку уехал.

Лена потихоньку в себя приходила, да еще работы навалилось много. А как проверила свой женский календарик, так и обомлела — все сроки прошли, десять дней задержка! Никогда раньше такого не было. Купила в аптеке тест — вроде бы ничего не показывает.

Неделя прошла — ничего, снова тест молчит. Вернулся Андрей, она и обмолвилась ему мимоходом — что-то, мол, не то, нужно к врачу сходить. Зря, конечно, сказала, мужчины не любят, когда их в женские дела вмешивают, просто устала, нервничала, вот и ляпнула. Все-таки не постороннему человеку, год целый вместе были.

То есть это Лена тогда думала, что они вместе, а Андрей, как выяснилось тут же, был совсем другого мнения.

Лена тогда просто обалдела от того, какое стало у него лицо. Как он смотрел на нее с самой настоящей ненавистью, как он кричал что-то несусветное, что не позволит, чтобы на него давили, что Лена не имеет никакого морального права подсовывать ему ребенка только потому, что он с ней спал.

В первый момент Лена просто разинула рот. Все-таки они были знакомы больше года, и она считала, что хорошо его знает. Они редко ссорились — как выяснилось, просто не было причин. Андрей всегда был вежлив, внимателен, ей с ним было интересно, не стыдно показать подружкам.

Лена опомнилась минут через пятнадцать, когда с кухни потянуло горелым. Ах да, она же жарила котлеты, чтобы накормить его ужином. Андрей уже малость выдохся, он утомленно присел на диван, когда Лена метеором пролетела мимо него на кухню. Котлеты, конечно, сгорели в уголья. Лена неловко схватила сковородку, и кипящее масло брызнуло ей на запястье.

Она подставила руку под струю холодной воды, так учила ее бабушка. Вернувшись, Лена увидела, что Андрей мечется по комнате, собирая свои вещи. Она попыталась что-то сказать, и сама удивилась, до чего жалко звучал ее голос.

И вовсе не потому, что Андрей ее бросает, просто ужасно болела рука. От этой боли Лена пришла в себя и сумела поглядеть на своего бойфренда критически. Он суетился, натыкался на мебель, чертыхался, роняя тапочки на ходу. Лене он показался совершенно чужим, как будто не с этим человеком была она больше года и считала его близким.

Он застегнул сумку и понес ее к двери, не глядя на Лену.

— Бритву забыл, — сказала она вслед, теперь голос уже не дрожал.

Бритва была дорогая, Лена подарила ее Андрею на прошлый Новый год.

Андрей спохватился, открыл сумку, порылся в ней и снова закрыл, убедившись, что бритва на месте.

— Еще зубную щетку и крем для бритья, — напомнила Лена.

— Я ухожу! — Он тоже говорил теперь спокойно, видно выпустил пар, когда орал несусветное.

И добавил, что между ними все кончено, как будто Лена сама не догадалась. Неизвестно, чего он ожидал от Лены — что она бросится ему на шею, потом упадет на колени и будет умолять вернуться? Или же запустит ему в лицо что-нибудь тяжелое. А может быть, ни то ни другое, но на всякий случай поторопился уйти, когда Лена сделала шаг к нему. А она просто хотела запереть за ним дверь.

После его ухода Лена сложила в мешок для мусора забытую Андреем зубную щетку и крем для бритья, а потом нашла еще пару трусов и носки, которые она как раз вытащила из стиральной машины. Добавила туда же старенькую майку и домашние тапочки, которые ее бойфренд, видно, посчитал не стоящими внимания и оставил у порога. А может быть, просто забыл.

Окна у Лены выходили на улицу, она увидела, как Андрей вышел из подъезда, и бросила мешок с балкона. Метила в голову, но не попала. А жаль.

Мешок шлепнулся прямо перед его носом и развязался. Проезжающий велосипедист наехал на тапочку и потянул ее за собой. Андрей поднял голову и крикнул что-то Лене, но она уже ушла с балкона и ничего не услышала.

Рука распухла и болела невыносимо. Лена намазалась какой-то мазью, затем приняла две таблетки обезболивающего и улеглась в постель. Спала она плохо, потому что все время задевала больное место.

Рано утром она поняла, что все ее страхи по поводу задержки не стоили беспокойства, очевидно, в организме случился какой-то сбой. А теперь от стресса все пошло на лад. Ну что ж, одной проблемой меньше. Однако с Андреем все же придется проститься.

Лена сама удивилась, до чего спокойно она это приняла. Уж очень противным он был при последней их встрече.

Но, как выяснилось позже, ничего на этом не кончилось. Андрей развил бешеную деятельность, поставил в известность чуть не всех друзей и знакомых. Лена до сих пор не понимает, для чего он это сделал. Очевидно, думал, что Лена будет жаловаться и привлекать их в свидетели.

Так или иначе, через три дня Лене позвонила Лизавета, которая была подругой Паши. Паша считался близким другом Андрея. Лена с этой самой Лизаветой общалась мало, только в общей компании, Лене она не слишком нравилась — голос громкий, косметики многовато, вульгарная, в общем, девица, в жизни ни одной книжки не прочитала, только журналы глянцевые.

Так что не были они кофейными подругами, никуда вместе не ходили. И тут звонит Лизавета — надо, мол, поговорить. Не сумела Лена ее сразу подальше послать, потому что ничего плохого ей эта Лизавета не сделала.

Ну, встретились в кафе, Лизавета сразу взяла покровительственный тон. Ты, говорит, с ума, что ли, сошла — мужику такое вываливать, да еще без всяких доказательств? Нужно было подстраховаться, справку от врача принести с печатью, на стол бросить, да еще чем-нибудь тяжелым придавить. Чтобы он знал, что ты серьезно настроена и просто так он не отвертится. У Лены тогда ума хватило промолчать, а Лизавета давай ее поучать. Дескать, если ты его хочешь заставить жениться, то ничего не выйдет теперь, уж очень он настроен против тебя. Мужики вообще жениться не хотят, а уж когда за горло хватают, то и вовсе звереют. Может, получится хоть денег с него на аборт слупить сколько-то...

Лене стало противно, она сухо сказала, что они с Андреем сами во всем разберутся.

— Это вряд ли! — посулила Лизавета на прощанье.

Лена хотела позвонить Андрею и выругать его за трепотню и вообще за все, но он не брал трубку. Разумеется, внес ее номер в черный список. Нет, ну скотина какая!

Тут Лена вспомнила, что никаких у нее заморочек по женской части больше нету, так что спокойно можно послать их всех подальше. Но неприятный осадок остался.

Вот и получилось так, что теперь Лена без компании. Закадычной подружки у нее не было, были приятельницы на работе. Но работа у них такая, что вечно все в разъездах по объектам, так что поболтать по душам не всегда получается. Оттого и разоткровенничалась она тогда с Катькой, и вот что из этого вышло.

Все эти мысли проносились в голове у Лены в то время, пока она ехала домой. Припарковавшись же во дворе собственного дома, Лена выбросила из головы неприятные мысли. Выражаясь языком телевизионных сериалов, Андрей вычеркнут из жизни навсегда, да если честно, не больно много места он там и занимал, раз расстались они так быстро. Но все же самооценка у Лены опустилась ниже плинтуса. Надо же, как легко он ее бросил, неужели совсем не дорожил? Получается, так...

Дома было душно и грязновато. Еще бы, в субботу пришла домой под утро, все воскресенье проспала, утром сорвалась в больницу к Катьке, а теперь вот приползла с работы совершенно без сил.

Лена решила, что нельзя распускаться, нужно хоть немного прибраться в квартире, хоть вещи распихать да подмести. Это у нее от бабушки — та не терпела беспорядка в доме, главное, говорила, чтобы все на своих местах было. И воздух чтобы свежий.

Раскрыв все окна, Лена достала из пакета свою многострадальную куртку. Блузку придется выбросить, засохшую кровь никогда не отстираешь, все равно пятно останется, а куртку все же можно реанимировать. Тут по аналогии Лена вспомнила еще про одну куртку — та валялась под вешалкой и распространяла в прихожей запах бензина и дешевой отдушки для салона машины. Та самая куртка, которую взяла она в той зеленой «Хонде», чтобы прикрыть пятна крови.

Лена отогнала от себя мысли об ужасе, который она испытала той ночью, когда проснулась на окровавленном сиденье чужой машины, и пнула ногой грязный комок, который валялся под вешалкой. Немедленно выбросить!

И вот, когда она, преодолевая отвращение, взяла куртку в руки, чтобы положить ее в мусорный пакет, она вспомнила про свой пропуск. А вдруг и у водителя тоже лежит в карманах что-то важное. И хоть здравый смысл подсказывал Лене, что ничего нужного в старой куртке нету и что водитель за своей курткой не явится, уж не будем уточнять по какой причине, но все же она взяла себя в руки и обшарила карманы.

Ничего там не было, кроме крошек табака, песка и грязного носового платка. Но в одном месте что-то шуршало, и Лена нашла за подкладкой небольшой лист бумаги. Глянцевую листовку, сложенную пополам. Такие бывают купоны на скидку.

На листовке был нарисован мультяшный улыбающийся тигренок. Сверху была яркая надпись: «Меткий стрелок», и внизу, под тигренком, более мелкими буквами, но так же ярко призывали: «Проверь свою меткость!»

Лена пожала плечами — что это? Хотя какое ей дело, нужно выбросить да и забыть. Но тут она отметила, что бумажка была засунута за подкладку и сложена пополам, то есть похоже, что водитель спрятал ее не случайно. Раз уж вокруг нее так много странностей в последнее время, Лена решила бумажку не выбрасывать. И куртку засунула в кладовку — так, на всякий случай.

А утром, в спешке собираясь на работу, сгребла в сумку все, что валялось на столике в прихожей вместе с ключами от машины. Некогда было разбираться, что лишнее, а что — нет.

Отпустив Костика на все четыре стороны, двое громил разговаривали между собой. То есть говорил в основном бритоголовый, рыжий, как обычно, помалкивал.

— Ты видишь то же, что я? — Бритый кивнул на автозаправку, до которой было метров пятьдесят.

Рыжий напарник, как всегда, промолчал, но бритоголовый по-своему понял его молчание.

— Верно! Иначе зачем бы она бросила машину здесь? Она пошла на заправку, чтобы оттуда вызвать такси. Или позвонить кому-нибудь, кто ее отсюда заберет.

Озвучив это логичное соображение, бритоголовый подкатил к заправке.

— Полный бак? — спросил их работавший на заправке парень, подойдя к машине.

— Полный, полный! — кивнул бритоголовый. — И скажи мне, кто здесь у вас по ночам работает?

— А это смотря когда, — отозвался заправщик, вставляя насадку шланга в бензобак.

— Да вот, к примеру, в ночь с субботы на воскресенье.

— С субботы на воскресенье? Ну тогда как раз моя смена была.

— Твоя смена? Надо же, какая удача! Значит, ты-то нам как раз и нужен!

— Чем могу — помогу!

— Поможешь, поможешь! Тут к тебе той ночью дамочка одна не заходила? Ну или девчонка, если тебе так больше нравится.

— Девчонка? — заправщик явно насторожился. — А что такое?

— Мы тебе вопрос задали! — бритоголовый помрачнел, скрипнул зубами. — Значит, отвечать надо, а не встречные вопросы задавать!

— Ну я уже не помню... ко мне много народу заезжает... всех не упомнишь...

— Так те заезжают, а она зашла. Без машины. В два часа ночи. Пешком. Прикинь!

— Пешком? Что-то не помню...

— Не помнишь? — Бритоголовый достал из кармана пачку сигарет и зажигалку. — А ты уж, будь добр, постарайся вспомнить!

— Мужики, вы что, здесь же нельзя курить! — Заправщик побледнел как полотно.

— Так что — вспомнил? — осведомился бритоголовый, поднеся зажигалку к сигарете.

— Вспомнил, вспомнил! Была тут той ночью девушка. Действительно, пешком пришла. Просила такси ей вызвать. Сказала, что у нее батарейка в телефоне села.

— И ты вызвал?

— А что мне — трудно? Человеку помочь — святое дело!

— Это ты правильно говоришь! Святое дело! Так вот сейчас нам помоги. Вспомни, какая машина приезжала, какой водитель, куда та девчонка поехала...

— Машину помню. Белая «Шкода» приехала. Водила — лет пятьдесят, загорелый такой. Может, кавказец. А больше я ничего не знаю. Честное слово, ничего.

— А из какой компании? — не отставал бритоголовый. — Уж это ты точно должен помнить, ведь ты сам машину вызывал!

— Ну да, компанию, конечно, помню... «Рок-такси» называется, у них еще портрет Элвиса на каждой машине нарисован.

— Видишь, смог вспомнить, когда захотел? — Бритоголовый спрятал зажигалку и сигареты и отъехал от бензоколонки.

— А что ты его не спросил, где это «Рок-такси» находится? — спросил его рыжий напарник, проявив неожиданную разговорчивость.

— А зачем спрашивать, если я это и так знаю? Меня шеф один раз туда посылал должок забрать.

Через полчаса напарники подъехали к большому гаражу, расположенному неподалеку от Обводного канала. На улице возле гаража стояло несколько машин. Цвета и модели были разными, но объединял их яркий рисунок на борту — портрет Элвиса Пресли с его знаменитой челкой и надпись над этим портретом — «Рок-такси».

Проехав мимо припаркованных на улице машин и не найдя среди них ни одной «Шкоды», тем более белого цвета, бритоголовый поставил свою машину чуть в стороне, и они с напарником направились к гаражу.

Внутри этого гаража играла музыка — все тот же Элвис пел бессмертный «Рок вокруг часов». Внутри гаража стояло еще несколько машин, и среди них напарники увидели белую «Шкоду». Под ней копошился человек в заляпанном машинным маслом комбинезоне.

Собственно, из-под машины была видна только его нижняя часть, по которой определить возраст и внешние данные не представлялось возможным.

— Эй, друг, разговор есть! — окликнул занятого ремонтом человека бритоголовый.

— Какой еще разговор? — донеслось из-под машины. — Не видишь — я занят! Зайди попозже!

— Занят? — Бритоголовый ударил носком ботинка по колену собеседника. Тот охнул, произнес заковыристую матерную тираду и вылез из-под машины. Это оказался тощий веснушчатый блондин лет тридцати. В руке у него была монтировка.

— Ты что, офигел? — проговорил он, окинув напарников неприязненным взглядом.

— Я же сказал — разговор есть!

— Это не тот, — подал реплику рыжеволосый.

— Вижу, что не тот! — ответил бритый и обратился к ремонтнику: — Извини, друг, обознались! Мы вообще-то знакомого ищем. Постарше тебя, загорелый. Он на этой «Шкоде» ездит.

— Не знаю такого.

Рыжеволосый бандит достал свой нож и принялся им поигрывать.

Веснушчатый парень взвесил на руке монтировку. Рыжий метнул нож, и он воткнулся в стену рядом с ремонтником. Тот отпрянул и крикнул в глубину гаража:

— Вахтанг! К тебе какие-то отморозки пришли!

— Вспомнил, значит! — ухмыльнулся бритоголовый.

— Скажи им, чтобы заходили в третий бокс! — откликнулся из темноты хрипловатый голос с кавказским акцентом.

— Вон туда идите! — Парень показал напарникам на дверь в задней стене гаража.

Бритоголовый толкнул дверь и вошел вместе с напарником в темное помещение.

Дверь за ними тут же захлопнулась. Рыжий шагнул вперед, и тут же из темноты донесся его крик:

— Леха, помоги, я куда-то провалился!

Бритоголовый метнулся назад, но пол ушел у него из-под ног, и он тоже свалился в какую-то яму.

Тут же в помещении вспыхнул яркий свет, и напарники обнаружили, что находятся в глубокой бетонной яме, из тех, на которую загоняют машины для ремонта ходовой части. Сверху над ними нависал огромный внедорожник.

Бритоголовый бросился к краю ямы, ухватился за бетонный край, но руки соскользнули. Раздалось ровное гудение мотора, и внедорожник начал опускаться на яму.

В это время дверь комнаты открылась, и в нее вошел коренастый загорелый мужчина лет пятидесяти. Вытирая испачканные машинным маслом руки, он заглянул в яму и спросил:

— Я Вахтанг. Кто тут меня спрашивал? Это вы со мной поговорить хотели?

— Ты что — совсем с дуба рухнул? — прохрипел бритоголовый, покосившись на опускающийся внедорожник.

— А твой приятель, который у меня в гараже ножом размахивает, откуда рухнул?

— Чего ты хочешь?

— Хочу, чтобы вы сейчас же выложили на край ямы все оружие, которое при вас есть, а потом свалили отсюда туда, откуда пришли, и больше никогда здесь не показывались.

— Да ты вообще понимаешь, на кого руку поднял? — заверещал рыжеволосый.

— Помолчи! — прикрикнул на него напарник. — Все он понимает!

Внедорожник медленно, но неотвратимо опускался.

— Эй, останови! — проговорил бритоголовый. — Мы поняли, все поняли!

— А если поняли — выкладывайте оружие!

Бритоголовый тяжело вздохнул и положил на край ямы пистолет.

— Это не все!

Рядом с пистолетом появилась сложенная телескопическая дубинка.

— А твой напарник?

Рыжий покосился на медленно опускающийся внедорожник и положил на край ямы нож.

— Это все, больше у нас ничего нет!

— Не верю! — проговорил Вахтанг. — Раздевайтесь!

— Что?! — возмутился бритоголовый.

— Что слышал! Одежду снимайте! Хочу убедиться, что вы под ней ничего не прячете!

— Да ни за что!

— Ну как хотите... — Вахтанг сделал вид, что уходит.

Внедорожник продолжал опускаться.

— Стой, стой! — Бритоголовый снял куртку и выбросил ее на край ямы, за ней последовали джинсы.

Когда его напарник сделал то же самое, Вахтанг ухмыльнулся:

— Вот теперь я вижу, что у вас нет оружия!

Он нажал кнопку. Мотор подъемного механизма замолчал, внедорожник прекратил опускаться. В следующее мгновение в помещении погас свет.

— Черт! — подал голос рыжий. — Темно, как у кашалота в брюхе.

— Смотри, вон там, кажется, свет!

Действительно, откуда-то спереди просочился бледный свет, который высветил ступеньки, ведущие из ямы наверх.

Напарники торопливо вскарабкались по этим ступенькам и оказались перед незапертой дверью. Толкнув эту дверь, они выскочили из темноты.

В первый момент оба ослепли от яркого солнечного света.

Когда же их глаза привыкли, напарники увидели, что находятся в переулке, и перед ними сгрудилась толпа женщин. Эти женщины стремились попасть в магазин, над входом в который висел яркий плакат:

«Только один день — скидки до 90 процентов на всю обувь!»

При виде двух мужчин, вся одежда которых состояла только из длинных трусов-боксеров, вся эта женская толпа пришла в восторг.

Напарники попытались вернуться в гараж, но дверь, через которую они только что выбрались, была заперта.

Блондинка с ярко накрашенными губами затормозила на светофоре. В это время зазвонил ее мобильный телефон. Имя на дисплее не высветилось, но блондинка каким-то шестым чувством поняла, кто звонит, и поднесла телефон к уху.

— Ну что, — проговорила она, услышав знакомый голос, — ваши орлы опять облажались? Откуда я знаю? Совершенно случайно оказалась в нужное время в нужном месте и видела, как они бежали по улице в одних трусах! Трусы, кстати, отстой. Да я не злорадствую, не злорадствую! Просто я давно вам говорила, что этих придурков надо гнать. Что, хотите, чтобы я довела дело до конца? Конечно, я все сделаю. Только вы знаете мои расценки. Ну ладно, шучу, шучу!

На светофоре загорелся зеленый. Блондинка проехала перекресток, свернула в тихий переулок, припарковала машину и внимательно оглядела себя в зеркале.

Первым делом она сняла пышный светлый парик, стерла яркую помаду, покрыла лицо тональным кремом, который придал ее коже нездоровый оттенок, нарисовала под глазами пару морщинок. Вместо прежнего эффектного парика надела другой — неопределенного тусклого цвета, плохо уложенный. Немного подумав, достала из сумки баллончик с перцовой смесью и распылила самую малость.

Когда приступ кашля прошел, она снова взглянула в зеркало и увидела, что глаза стали красными, а нос припух, как будто она только что плакала.

В таком виде можно было приступать к операции, и бывшая блондинка поехала к гаражу фирмы «Рок-такси».

Рядом с гаражом находилось двухэтажное здание офиса.

Свою машину женщина оставила в сторонке, вошла в офис и спросила попавшуюся навстречу женщину, где можно найти диспетчера.

— Нину, что ли? — уточнила та. — Она вон там, в третьей комнате.

Бывшая блондинка поблагодарила и пошла в указанном направлении. Прежде чем открыть дверь, она тыльной стороной ладони размазала по лицу тушь.

В третьей комнате за пультом сидела озабоченная женщина лет сорока. Перед ней были компьютер и микрофон, рядом — динамик, подсоединенный к телефонной линии, и небольшое настольное зеркало.

— Женщина, вы куда? — обратилась она к вошедшей. — Я, между прочим, диспетчер! Я, между прочим, работаю!

— Вы мне как раз и нужны! — Бывшая блондинка громко всхлипнула и сжала руки на груди. — У меня сестра пропала... сестренка моя младшая... Ниночка...

— А я-то при чем? — нахмурилась диспетчер. — Если она пропала, это вам надо в полицию обращаться, а не ко мне! Допустим, я тоже Нина, но я сестру вашу даже не знаю.

— Не знаете, — кивнула посетительница, — но я вам сейчас расскажу. У нас родители рано умерли, мы с Ниночкой одни остались, так что я ей была вместо матери!

— Какие родители? Вы вообще кто?

В это время телефон зазвонил.

— Обождите! — Диспетчер показала посетительнице кулак и нажала кнопку. — Слушаю вас...

В динамике раздался гнусавый голос:

— Мне нужна машина от Седьмой Советской до Восьмой красноармейской!

— На ближайшее время?

— На ближайшее.

— Стоимость поездки для вас будет пятьсот пятьдесят рублей. Оплата наличными или картой?

— Наличными.

— Ждите сообщения...

Закончив разговор, диспетчер снова взглянула на заплаканную женщину. Казалось, она надеялась, что та исчезнет сама собой, но бывшая блондинка снова всхлипнула и продолжила:

— Значит, я была Ниночке вроде матери, а вы же понимаете, как это трудно! Вот у вас, к примеру, есть дети?

— Есть... — Диспетчер вздохнула и помрачнела. — Тоже, кстати, дочь.

— Тогда вы меня как мать поймете... Я для нее все делала, что могла, и даже больше, но главное — я старалась не допустить, чтобы Ниночка сбилась с пути, пошла по кривой дорожке.

— А она пошла? — Теперь в голосе диспетчера звучал искренний интерес и сострадание. Она подперла подбородок кулаком и сочувственно смотрела на собеседницу, словно перед ней разворачивался увлекательный сериал.

— Пошла! — вздохнула та. — Пошла, несмотря ни на что! Понимаешь, Нина, в чем беда — красивой она уродилась. А красивой девушке трудно себя соблюсти!

— Трудно... — вздохнула диспетчер, невольно бросив взгляд в зеркало. — Ох как трудно! Мне ли не знать!

— Вот, ты меня понимаешь! Что я только не делала, как не старалась ее удержать — все напрасно! То чувствую, что спиртным от нее пахнет, то поздно возвращается, то вообще не приходит ночевать... но потом вроде взялась за ум, учиться пошла. Я уже думала, что наладится все у нас, и вдруг — пропала...

Бывшая блондинка закрыла лицо руками и затряслась в беззвучных рыданиях.

Диспетчер вскочила со своего стула. В это время телефон у нее на столе снова зазвонил, и из динамика донесся нетерпеливый и требовательный женский голос:

— Машина мне нужна, срочно!

— Обождите, не до вас! — оборвала диспетчер заказчицу. — Позже перезвоните!

— Что значит — позже? — возмутилась клиентка. — Мне машина нужна прямо сейчас!

— Какие все эгоисты! Тут человеку плохо, а они только о своем! — Диспетчер выключила звук, подскочила к рыдающей женщине и принялась успокаивать ее: — Что ж ты так убиваешься? Найдется твоя сестра! Непременно найдется!

— Нет, не найдется! — прорыдала бывшая блондинка. — Я чувствую, что с ней случилось что-то плохое! Что-то прямо ужасное!

— А когда же она пропала?

— В субботу я ее последний раз видела. Прикинь — в субботу, а сегодня уже вторник!

— А от меня-то ты чего хочешь? — спохватилась диспетчер. — Я-то чем могу тебе помочь?

Женщина резко перестала рыдать, выпрямилась и отчеканила:

— Я хочу узнать, куда она поехала. Она на вечеринке была, с подругой, а потом уехала. Ее подруга видела, как она садилась в машину, в такси, и после этого ее уже никто не видел.

— А такси было точно наше?

— Ваше, ваше! С этим мужиком на борту нарисованным. С такой прической странной.

— С Элвисом... — догадалась диспетчер.

— Во-во, с ним! А сама машина — белая «Шкода».

— Белая... — протянула диспетчер. — На белой «Шкоде» у нас Вахтанг ездит... когда, ты говоришь, сестра твоя пропала?

— В субботу, поздно ночью. То есть получается, уже даже не в субботу, а в воскресенье.

— Воскресенье... — диспетчер вернулась на свое рабочее место и застучала пальцами по клавиатуре компьютера.

— А откуда она ехала?

— От заправки на улице Тракториста Кучерявого.

— От заправки... — Диспетчер взглянула на экран. — Действительно, был такой вызов...

— И куда же она ехала? — Бывшая блондинка коршуном нависла над компьютером.

— Вообще-то нам не положено такую информацию разглашать, — вздохнула диспетчер.

— Я ей как мать! — драматическим голосом воскликнула бывшая блондинка. — И ты — тоже мать, а мы, матери, должны помогать друг другу.

— Но ты никому не скажешь, что я тебе этот адрес дала?

— Никому! — Женщина ударила себя в грудь маленьким кулачком. — Я вообще могила!

— Ну ладно... мы как женщины... мы как матери... ладно, записывай этот адрес! Улица Хвойная, дом пять!

— А квартира?

— А квартира тут не записана, вряд ли Вахтанг ее до квартиры провожал!

— Спасибо тебе, спасибо! — просительница прижала руки к груди. — Век буду тебя помнить, Бога за тебя молить буду, только бы сестренку найти! — И со слезами на глазах выбежала из офиса.

В машине она снова внимательно посмотрела на себя в зеркало и поморщилась. Вид слишком жалостливый. Она сняла парик и расчесала свои собственные волосы, затем припудрила нос и тронула губы неяркой розовой помадой, надела скромную курточку и поехала по адресу, который дала ей сердобольная диспетчерша.

Улица Хвойная была застроена лет пятьдесят назад обычными трехэтажными домами из серого силикатного кирпича. Вокруг домов буйно зеленели деревья и кусты, кое-где встречались елки, таким образом, улица оправдывала свое название. Подъездов в доме было два, возле каждого стояла лавочка. На одной сидели трое жизнерадостных работяг в замасленных комбинезонах и пили пиво из банок. На другой восседала монументальная старуха, орлиным взором оглядывая окрестности. Из-за нее почти не было видно другой старухи — эта была маленькая, худенькая и очень подвижная.

Женщина скромного вида притулилась на краешке скамейки и прикрыла глаза рукой. Полная старуха покосилась на нее, но ничего не сказала. Женщина поморгала, пытаясь вызвать слезы. Иногда это удавалось. Старуха убедилась, что на вверенной ей территории все в порядке, и обратилась к работягам.

— Вот сидите, — басом начала она, — и ничего не делаете уже сорок минут. Лично я по часам наблюдаю. А вам ведь не за это деньги платят, между прочим.

— Если это деньги, — мирно вздохнул старший из работяг.

— А хоть бы какие, все равно их заработать нужно! — не унималась старуха.

— Мы, мамаша, не просто так сидим, — объяснил работяга, — мы прораба ждем, он должен материалы подвезти. Нам без этих материалов делать нечего.

— Знаем мы ваши материалы, — по инерции проворчала старуха, но отстала от работяг и перенесла внимание на свою скамейку.

— Женщина, — сурово сказала она, — вот вы что тут делаете?

— И сама не знаю, — сдавленным от слез голосом ответила та.

— Как так? — удивилась старуха.

— А вот так... — Женщина умело держала паузу, так чтобы старухам стало интересно.

— А я знаю, — неожиданно тонким голоском заговорила другая старуха, маленькая и худенькая, — не иначе как муж у тебя гуляет!

— У тебя, Анфиса, мысли все про одно и то же, — неодобрительно заметила первая, — как от тебя муж ушел тридцать лет назад, так ты ни о чем другом думать не можешь!

— И вовсе нет! — возмутилась ее приятельница. — А ты тогда знала все и не сказала!

— Она права, — поспешила женщина направить разговор в нужное русло, а то старухи разругаются, и она ничего не узнает.

Беспрерывно сморкаясь и всхлипывая, она поведала старухам, что муж ее завел себе молодую, бесстыжую девицу, а у них семья, десять лет уже живут, и детей двое — Танечка и Ванечка. И как мужа этой стерве отдать, ведь детишки все папу зовут? А он совсем совесть потерял, дома не ночует и только отмахивается от нее, жены законной.

В этом месте разговора притворщица осторожно скосила глаза на старух — не перегнула ли палку. Но нет, полная старушенция слушала благосклонно, а вторая так и вовсе разинула рот — видно, про свое вспомнила. И кто же это только придумал, что в старости люди мудрее становятся?

И вот, продолжала «страдалица», тщательно следя, чтобы в голосе звучали слезы, по совету умных людей она решила голубчиков выследить. То есть с мужем-то ссориться ей не с руки — ему только повод дай — сразу ее с детьми бросит и уйдет к этой.

— Правильно рассуждаешь, — сочувственно пробасила полная старуха.

— Поэтому придумала я, что к маме на дачу уезжаю на неделю, детей туда и правда отвезла, а сама вечерним поездом вернулась. Смотрю — в окнах свет горит, и тени двигаются, девка та голая ходит.

— Ну дает, ни стыда у мужика, ни совести! — возмутилась полная старуха. — Прямо в семейный дом свою кралю и притащил!

— Все они такие, — присовокупила вторая старуха, — ну ты ей волосики-то повыдергала?

— А толку-то... Нельзя при муже... — вздохнула «страдалица». — В общем, я долго ждала, а потом смотрю — такси подъезжает, и мой выходит, девицу эту туда подсаживает, расцеловались они на прощание, она и поехала в такси.

— И не побоялся, что соседи увидят...

— Поздно было, без пятнадцати час, все спали. А я номер машины запомнила, потом таксиста того нашла, в ноги ему бросилась, все рассказала. Пожалел он моих деток, сообщил, по какому адресу пассажирку в субботу ночью возил.

— К нам, что ли? — высунулась маленькая старуха.

— Ну да, только квартиру не сказал. Вот я и пришла, а чего пришла — сама не знаю... — Притвора снова пригорюнилась. — Квартиру-то я так и не выяснила.

— Говоришь, из нашего дома? — в раздумье сказала полная старуха. — Ну так это небось Танька Рыбакова из шестнадцатой квартиры, у нее мужики не переводятся.

— И вовсе нет! — возразила неказистая бабка. — Таньке чужой муж и на фиг не нужен, у нее нынче мент в ухажерах ходит! Вроде бы даже замуж она за него собирается, хотя насчет этого неточно. Говоришь, в субботу ночью?

— Во втором часу, то есть уже в воскресенье!

— Точно! — расцвела бабка. — Бессонница у меня, ну, встала водички попить, то да се, смотрю — такси подъехало. И выходит оттуда Ленка Дроздова. И вид у нее такой, как после хорошей пьянки. Я еще удивилась — вроде бы девка серьезная, работает, на машине ездит. А оно вот что оказалось. Так что точно тебе скажу — Ленка это, квартира номер восемь. Только ее сейчас нету. А машина у нее красная «Мазда», вот номер не скажу, память уже не та стала.

Мать двоих деток — Танечки и Ванечки — рассыпалась в благодарностях и поскорее удалилась, поскольку бабки приняли слишком живое участие в ее делах и даже предлагали постоять на стреме, когда она будет выяснять отношения с разлучницей Ленкой.

Оказавшись в машине, она по телефону дала подробный отчет о своем расследовании и напоследок сказала, что не прощается, поскольку знает, что эти два урода обязательно напортачат и все равно придется к ней обращаться.

Молодой воин застонал и почувствовал, как к нему возвращается сознание. И вместе с сознанием на него обрушилась боль. Мучительная, невыносимая, всепоглощающая боль. Болело все тело, каждая его частица, каждый клочок кожи, но этого было мало — боль была даже за пределами тела, весь его мир состоял из боли.

Лучше было бы умереть, лучше было бы вернуться в непроглядную черноту беспамятства.

Вслед за болью он почувствовал запах — резкий и неприятный запах горелой плоти. И этот запах пробудил его память — он вспомнил погребальный костер, вспомнил, как прорывался сквозь пламя к золотому венцу...

И понял, что запах, который он ощущает, — запах его собственной обожженной плоти.

Потом сквозь потоки боли до него донесся голос — ласковый, сострадающий. Голос, знакомый с самого рождения. Этот голос пел колыбельную песню. Песню про бесконечную степь, покрытую ранним снегом, про маленького жеребенка, скачущего по этой степи, смешно взбрыкивая ногами.

Молодой воин ощутил мерное покачивание и понял, что лежит на кошме в кибитке, которая едет по степи. В той самой кибитке, в которой он родился.

Тогда он открыл глаза и увидел склоненное над ним лицо старой женщины, полное печали и сострадания.

— Ты очнулся, Кемерис, мальчик мой! — проговорила мать и коснулась его лица нежными пальцами.

Но даже это ласковое прикосновение вызвало в обожженной коже новую вспышку боли — и Кемерис застонал.

— О, как ты страдаешь, мальчик мой! — проговорила мать. — Потерпи, я постараюсь помочь тебе, постараюсь исцелить твое тело. Но ты за это должен исцелить мою душу. Ты должен вернуть то, что принадлежит тебе по праву.

— О чем ты говоришь, мама? — едва слышно проговорил Кемерис обожженными губами.

— Я говорю о царском венце! О венце твоего отца, который отнял у тебя Арнабад!

— Он получил венец в законном поединке, — прошелестели губы Кемериса. — Старый волхв возложил венец на голову Арнабада, теперь он — наш повелитель.

— Венец — твой, твой по праву! — резко перебила сына женщина. — Арнабад — сын простолюдинки, младшей жены. Я — из знатной семьи, в моих жилах течет кровь вождей и военачальников, значит, ты имеешь больше прав на наследие отца, на царский венец.

Женщина перевела дыхание и продолжила с ненавистью:

— Эта простолюдинка, мать Арнабада, помогла ему своим колдовством. Если бы не ее ворожба, Арнабад ни за что не победил бы тебя, ни за что не получил бы отцовский венец.

Кемерис хотел что-то сказать, хотел возразить матери, но кибитка резко качнулась, наехав на камень или корягу, боль пронзила его тело, и он снова застонал.

— Прости меня, мой мальчик! — прошептала мать. — Ты так страдаешь, а я говорю с тобой о том, для чего еще не пришло время. Сначала я должна исцелить твои ожоги.

Она взяла с кошмы, застилающей пол кибитки, чашу, наполненную вязкой густой субстанцией, обмакнула в эту чашу кусок ткани и приложила его к обожженной коже сына. Боль на какое-то время отступила. Кемерис ощутил запах степных трав, аромат весенних цветов и еще чего-то неуловимого, но смутно знакомого. Запах своего давно закончившегося детства.

— Я вылечу тебя, мой мальчик! — тихо проговорила женщина. — Я непременно вылечу тебя, а об остальном мы поговорим позже. Но обязательно поговорим.

День за днем Кемерис метался между болью и беспамятством. День за днем мать залечивала его обожженное тело. И с каждым днем страдания понемногу отступали, боль затихала, смирялась, как удаляющаяся ночная гроза. И наконец пришел день, когда Кемерис смог встать на ноги.

— Ты окреп, сын мой! — произнесла его мать, оглядев выздоравливающего. — Теперь пришло время поговорить о том, что будет дальше.

— О чем ты, мама?

— О справедливости. О мести. О воздаянии. О царском венце, венце твоего отца, венце твоих предков, который принадлежит тебе по праву рождения.

— Я не хочу говорить об этом. Арнабад — мой брат, он получил венец как положено, как получали его все наши цари и повелители с давних времен. Я не хочу разжигать костер смуты! Я — воин, а не мятежник, не заговорщик!

— Не хочешь? — переспросила мать. — Что ж, я кое-что тебе покажу...

Она открыла небольшой сундучок и достала из него круглое золотое зеркало, украшенное искусными изображениями диких зверей и бородатых всадников.

— Посмотри! — проговорила женщина, повернув к сыну полированный диск зеркала.

Кемерис заглянул в зеркало, как будто это было окно в новый, незнакомый мир, — и отшатнулся.

Из золотого окна на него смотрело ужасное лицо, испещренное шрамами и ожогами, похожее не на человеческое лицо, а на кошмарную маску демона.

— Ты по-прежнему не хочешь справедливости? Ты по-прежнему не хочешь разжигать костер смуты? Ты хочешь смириться со своей судьбой? Ты хочешь до конца жизни носить на лице эту страшную печать позора и поражения?

Кемерис еще раз взглянул на то, что когда-то было его лицом, и повернулся к матери:

— Что я должен делать?

— Для начала, сын мой, ты должен встретиться с кое-какими людьми.

Тем же вечером, когда солнце закатилось за горизонт и на степь опустился темный, усеянный звездами полог ночи, к кибитке Кемериса подъехали несколько всадников в коротких темных плащах. Лица этих всадников были скрыты капюшонами.

Мать Кемериса приподняла полог кибитки, и гости один за другим пробрались внутрь, оставив коней на попечение слуг.

— Приветствую вас, вожди! — проговорила женщина, поклонившись ночным гостям.

Мужчины ответили ей нестройными приветствиями и сняли капюшоны. Однако лица их не открылись: под капюшонами оказались звериные маски, выкованные из золота, — волчья, медвежья, кабанья, маски рыси, буйвола и росомахи.

— Ты звала нас, сестра! — проговорил человек в волчьей маске. — Мы пришли. Говори то, что ты хотела сказать, наши уши открыты твоим словам.

— Ты, брат мой, и вы, вожди племен! — заговорила мать Кемериса. — Я позвала вас не для того, чтобы говорить самой. Женщине негоже говорить в собрании вождей. Я позвала вас, чтобы вы выслушали моего сына.

— Как, разве Кемерис жив? — удивленно воскликнул человек в маске волка. — Разве он не погиб в день погребения своего отца? Я своими глазами видел, как пламя охватило его.

— Я спасла его и выходила, он набрался сил и теперь будет говорить с вами.

Женщина отдернула кожаный полог, который закрывал дальний угол кибитки, и скифские вожди увидели юношу с изуродованным, обожженным лицом, похожим на страшную маску. Маску ненависти. Маску отмщения.

Вожди смотрели на него в немом изумлении, не решаясь что-то сказать.

Тогда заговорил сам Кемерис.

— Вы пришли, вожди, и вы выслушаете мои слова. Я собрал вас, чтобы сказать, что хочу вернуть причитающееся мне. Хочу вернуть власть над всеми скифскими племенами, которая принадлежала моему отцу. Готовы ли вы пойти за мной?

Вожди молчали. Наконец один из них, тот, что был в маске медведя, заговорил низким рокочущим голосом:

— Наши предки установили такой порядок: каждый царь указывает на двух своих сыновей, которых он выбирает своими наследниками. В день его погребения боги выбирают из этих двоих того, кто им более угоден. Твой отец в нашем присутствии назвал наследниками тебя и Арнабада. Боги остановили свой выбор на твоем брате.

Старый вождь повысил голос:

— Ты говоришь, что хочешь вернуть причитающееся тебе. Но у тебя уже был шанс занять престол отца, это было в день его огненного погребения. Тогда ты проиграл, проиграл в честном поединке. Боги сказали, что предпочитают твоего брата. Чего же ты хочешь сейчас? Ты хочешь пойти против воли богов?

— Арнабад — не брат мне! — воскликнул молодой царевич. — Мать его — простолюдинка, чужестранка. Вы знаете, что моя мать происходит из знатной скифской семьи, из благородного клана Волка, она — дочь вождя и сестра вождя. Разве может человек с дурной кровью править скифскими племенами?

— Не может! — подхватил слова племянника брат его матери, человек в волчьей маске. — Я приму руку Кемериса и сделаю все, что смогу, чтобы вручить ему власть! Я пойду с ним до конца! Вожди, кто из вас встанет рядом со мной?

— Я готов идти рядом с тобой до конца! — проговорил человек в маске росомахи.

— И я! — поддержал его вождь в маске рыси.

— Вы, сыновья Волка, слишком горячи и самонадеянны! — пророкотал вождь клана Медведя. — В словах Кемериса есть доля правды. Он происходит из благородной семьи. Однако нельзя идти против воли богов. Главное же — у Арнабада священный венец наших предков, венец скифских царей, который приносит победу в бою.

Старый вождь оглядел присутствующих и закончил:

— Тот, кому принадлежит этот венец, и есть истинный государь. Если бы венец был у Кемериса, я встал бы на его сторону вместе со всем моим кланом. Вот мои слова, и я их не изменю.

— Старый Медведь прав! — подал голос молчавший до того вождь клана Буйвола. — Власть принадлежит тому, кому принадлежит священный венец. Если венец наших владык будет у Кемериса, я поддержу его.

— И я, — кратко высказался человек в маске кабана и встал рядом с вождем медведей.

— Мы все сказали, — подвел итог Старый Медведь и поднялся. — Пусть с вами будет милость богов.

— Пусть с вами будет милость богов! — подхватили остальные вожди и покинули кибитку.

Остались в ней только трое — Кемерис, его мать и дядя.

— Ты видишь, сестра, у нас ничего не вышло, — проговорил вождь клана Волка. — Я пытался убедить вождей, пытался, как мог, но они не хотят мятежа.

— Я услышала другое, — возразила ему женщина. — Я услышала, что они готовы встать рядом с моим сыном, если у него будет отцовский венец.

— Но у него нет венца. Венец достался Арнабаду, и молодой царь хранит его как зеницу ока.

— Я слышу твои слова, брат, — кивнула женщина, — я слышу их, но не принимаю в своем сердце. Я — женщина, а у женщин есть свои пути к победе и есть свое оружие.

— О чем ты говоришь, сестра?

Вместо ответа мать Кемериса дважды хлопнула в ладоши.

Полог в глубине кибитки снова приподнялся, и из-за него выскользнула юная девушка ослепительной красоты. По плечам ее змеились золотые волосы, большие глаза, синие, как два индийских сапфира, смотрели кротко и выжидательно.

— *Кто это?* — *проговорил вождь, когда прошло изумление от появления незнакомки и оторопь от ее красоты.*

— *Это пленница из далекой греческой земли,* — *ответила мать Кемериса, довольная тем впечатлением, которое гречанка произвела на ее брата.* — *Она сделает то, что нам нужно. Она принесет нам священный венец предков.*

Произнеся эти слова, женщина махнула рукой, и прекрасная гречанка удалилась за полог. Вождь проводил ее затуманенным взглядом, затем проговорил:

— *Да, ее красота разит сильнее смертоносной стрелы! Однако надежна ли она, сестра? Не предаст ли она нас? Не перейдет ли она на сторону наших врагов?*

— *Нет,* — *ответила женщина, и рот ее стал жестким, как лезвие ножа.* — *Я умею управлять людьми, как опытный возница управляет упряжкой. У меня есть то, что очень нужно этой гречанке, то, из-за чего она сделает все, чего мы захотим.*

— *Что же это?*

— *Ее ребенок.*

Этой ночью Лене приснился странный сон.

Ей снилось, что она идет по незнакомой улице. По сторонам этой улицы были не дома, а всевоз-

можные ларьки и прилавки, на которых торговали
игрушками и украшениями, сластями и экзотиче-
скими фруктами, пряничными домиками и фи-
гурками, в общем, всем тем, чем обычно торгуют
на праздничных ярмарках.

Однако странная это была ярмарка, странная
торговля, и странные продавцы стояли за прилавками. Они были совершенно неподвижны, словно не живые люди, а восковые фигуры. По другую
сторону прилавков стояли такие же неподвижные
покупатели. Кто-то держал в руке яркую игрушку,
разглядывая ее, словно размышляя, стоит ли ее
покупать, кто-то достал кошелек, чтобы распла-
титься, да так и замер, не завершив это несложное
движение. В дальнем конце торговой улицы Лена
увидела духовой оркестр. Музыканты тоже застыли, как изваяния. Один замер с прижатой к губам
сверкающей трубой, другой — с палочками, за-
висшими в воздухе над барабаном. Казалось, кто-
то заколдовал всех этих людей, как свиту спящей
красавицы в сказке. Не хватало только сказочного
замка, увитого плющом.

Лена шла мимо этих ларьков, удивленно глядя
на замерших, окаменевших людей, и вдруг услышала за своей спиной чьи-то приближающиеся шаги.

Она обернулась — но никого не увидела.

Только неподвижных, застывших, заколдо-
ванных людей, восковые фигуры, свиту спящей
красавицы...

Она снова пошла вперед — и снова услышала
за спиной неотступные, неотвратимые шаги.

Она опять остановилась и обернулась быстро, как только могла, — и на этот раз успела разглядеть, как за одним из прилавков спрятался человек. Лицо его было скрыто ярко раскрашенной маской, из тех, которые надевают дети на новогодний праздник. Это была маска забавного ухмыляющегося тигренка.

Лена пыталась вспомнить, где она видела точно такого же веселого тигренка... совсем недавно... ей казалось очень важным, необходимым это вспомнить.

И в это время она проснулась от назойливого, бесконечного, навязчивого звонка.

Она подскочила в кровати, как пружинный чертик, открыла глаза и тут же успокоилась. Это был всего лишь будильник.

Лена прихлопнула его, как назойливого комара, окончательно проснулась и отправилась под душ.

На работе ее уже дожидался Василий.

Василий был не то чтобы туповат, просто слишком наивный и непосредственный для взрослого человека. Да и для ребенка, пожалуй, тоже. Иногда коллегам казалось, что он остановился в развитии примерно в пятилетнем возрасте, до того примитивными были его повадки. Василий обожал мелкие приколы типа подкладывания на стул канцелярской кнопки, приклеивания сзади на воротник бумажки с надписью «Я — дурак» или что-то в этом роде.

Манеры у Василия тоже были ужасные, то есть не было никаких. Он не умел пользоваться ножом, а вилку держал в кулаке, подкладывая на нее еду руками. Он громко чавкал и ронял пищу изо рта, подхватывая ее на лету, причем не всегда успевал это делать. Хорошо, что сотрудники фирмы разбегались по объектам, поэтому у них не было заведено обедать вместе в кафе или ресторане, мало кто мог бы выдержать за столом соседство с Василием.

Он громко ржал над собственными шутками, он слишком близко наклонялся к собеседнику, то есть к тем людям, кто от нерешительности или из вежливости не убегал при виде Василия куда подальше. Что касается самых элементарных вещей, какие мужчина делает машинально, на автомате, к примеру, пропускает даму вперед в открытую дверь или же, увидев свободное место, опять-таки уступает его даме, Василию такие вещи были неведомы.

Он, конечно, умел читать, и писать, и водить машину, и даже, надо думать, имел какой-то диплом об образовании, в противном случае его не взяли бы на работу в их фирму, но сотрудники были твердо уверены, что диплом этот он купил. Музыку он слушал самую примитивную, из напитков предпочитал пиво.

Сотрудники пришли к выводу, что Василий, как и все мы, произошел от обезьяны, только ему достался какой-то очень отсталый примат. Тупой, еще тупее. И самое главное — его не коснулась эволюция. Побрили обезьяну, одели в джинсы и выпустили в современный мир.

— В принципе, — разглагольствовала Дашка, когда шефа не было в офисе, — в цирке зайца учат играть на барабане, медведи отлично ездят на велосипеде, а орангутанги весьма даже неплохо играют на рояле в четыре руки, я сама видела. Так что наш Вася по этим меркам очень даже ничего.

Витя Карпов рассказывал, как однажды на объекте нашли старые книжки, которые прежние жильцы поленились выбросить. Книжки были бросовые, но Василий, различив среди них первый том Малой Советской энциклопедии, прижал его к сердцу и едва не прослезился, объяснив, что у него в детстве этот том был единственной книжкой, по ней он и читать научился. И Витя постеснялся спросить, на необитаемом острове, что ли, Вася жил. А если честно, рассказывал Витя, то он не постеснялся, а просто не хотел во все это влезать. Как уже говорилось, общаться с Василием близко у сотрудников обоего пола не возникало никакого желания.

По своей толстокожести Василий отношения к себе окружающих просто не замечал, он был всегда весел и счастлив и неустанно радовался жизни.

И вязался ко всем женщинам подряд. Разумеется, его приставания никто не принимал всерьез, на что Вася в общем-то ничуть не обижался. Он действовал по принципу «не прошло, и ладно».

К Лене он тоже как-то попробовал подкатиться, встретил насмешливый, но твердый отпор и успокоился. С тех пор с ним вполне можно было иметь дело, то есть использовать на тяжелых работах, не требующих ума и сообразительности.

— Привет, Ленусик! — проговорил Вася и попытался чмокнуть Лену в щеку. — Да не дергайся ты, это я просто так... а вообще-то у меня к тебе дело. Съезди со мной на третий объект. Тот, что возле Серафимовского парка.

— А зачем тебе я? Это же твой объект!

— Мой, мой, но там, похоже, проблемы по твоей части. Во всяком случае, шеф просил тебя поглядеть.

— Ладно, просил так просил...

Поехали на Васиной машине.

Пробок, как ни странно, не было, так что добрались довольно быстро. Вася припарковал машину на стоянке возле парка и выбрался из нее, заявив, что дальше они пойдут пешком.

— Здесь через парк гораздо короче! — сказал он и вошел в ворота.

По утреннему времени людей в парке было немного. Откуда-то из глубины парка доносились звуки духового оркестра. Лена вслед за Василием шагала по усыпанной гравием дорожке, по сторонам которой пышно цвела сирень. С каждым шагом музыка становилась все громче и громче. На развилке Вася повернул налево, и они вышли на боковую аллею.

Лена от удивления застыла на месте.

Она словно попала в свой сегодняшний сон: по бокам этой аллеи были расставлены прилавки и ларьки, на которых продавали игрушки, фрукты, сладости, в дальнем конце аллеи играл духовой оркестр. Правда, и продавцы, и покупатели, и музыканты были вполне обыкновенные — никто из них не замер, словно заколдованный феей. Покупателей вообще было немного — слишком рано для активной торговли.

— Ты что встала? — проговорил, обернувшись к ней, Василий. — Идем, нас там ждут!

В это время у него зазвонил мобильный телефон, и Вася, замедлив шаги, заговорил по нему вполголоса.

Лена удивленно огляделась и вдруг заметила впереди, совсем недалеко, человека в маске усмехающегося мультяшного тигренка. Он смотрел на нее в прорези глаз и звал, манил за собой.

Лена почувствовала, как на нее нашло наваждение, как будто она снова оказалась в своем сне, забыла, куда идет, забыла вообще обо всем и направилась к человеку в маске, чтобы узнать, кто он такой и чего хочет от нее.

Она прошла за ним, казалось, совсем недалеко, но тот вдруг исчез, скрывшись в проходе между двумя соседними прилавками.

То есть только слева от прохода был собственно прилавок с разложенными на нем яркими игрушками и пряничными человечками, справа же был духовой тир, на прилавке которого лежали пневматические ружья, а на задней стенке красовались движущиеся и неподвижные мишени в виде игрушечных зверюшек и птичек, мельниц и домиков с черепичными крышами.

Лена хотела было последовать за человеком в маске, но перед ней вырос рослый мужчина в черной униформе охранника и проговорил, странно коверкая слова:

— Сюда нэльзя. Здеся запресчено проходыть.

— Но тот человек только что прошел...

— Какой исчо чэлавек? Никто здеся нэ проходил!

И тут Лена осознала, как странно себя ведет. Она словно сбросила дурманящее гипнотическое наваждение и осознала себя стоящей перед детским духовым тиром с его наивным, ярко раскрашенным кукольным мирком.

За прилавком тира стоял хозяин — толстый дядька в светлой соломенной шляпе и сползших на нос круглых очках. Над головой у него висела яркая афиша. В верхней части афиши разноцветными буквами было написано: «Меткий стрелок».

Чуть ниже — буквами красного цвета — «Проверь свою меткость!».

А еще на этой афише был нарисован яркий веселый тигренок, похожий на маску странного человека, человека из ее сна...

— Очаровательная барышня! — обратился к Лене хозяин тира с какой-то старомодной, приторной вежливостью. — Испытайте удачу! Проверьте свою меткость! Вы можете выиграть замечательный приз! — И он показал Лене на полку, где выстроились в ряд мягкие игрушки — мишки, зайцы с морковками, бегемоты, Микки-Маусы и прочие представители плюшевого животного мира.

Лена хотела уже сказать этому смешному человеку, что давно переросла тот возраст, когда ее можно было соблазнить плюшевым медведем или Микки-Маусом, как вдруг в ее голове словно щелкнул какой-то выключатель.

Она вспомнила, почему ей показался знакомым человек в маске мультяшного тигренка и странно знакомой яркая афиша тира.

И маска, и афиша были похожи на цветную листовку, которую она нашла в куртке подвозившего ее ночного водителя.

— Милая барышня, так что — не желаете попробовать? — снова проговорил хозяин тира.

Лена засуетилась, полезла в свою сумку, торопливо перебирая ее содержимое. Под руку ей попадалась всякая ерунда, она нервничала, руки дрожали...

— Сейчас... — бормотала она. — Одну секунду... да где же он был... не то, все не то...

Наконец она нашарила злополучный листок, достала его, взглянула.

Да, никакого сомнения — тот же смешной мультяшный тигренок, та же надпись разноцветными буквами:

«Меткий стрелок».

Лена протянула листок хозяину:

— Вот это... это ведь ваше?

Хозяин с важным видом взял у нее листочек, поправил очки, подвинув их на переносицу, и пробежал листок глазами.

— Конечно, мое! — проговорил он наконец с забавной важностью, как будто держал в руках международный договор, финансовое обязательство на огромную сумму или что-то столь же значительное. — Эта листовка дает вам право на один бесплатный выстрел!

И он уже вкладывал в руки Лены ружье.

Лена не собиралась играть по его правилам, не собиралась стрелять из этого детского ружья, но ружье уже само легло ей в руки, приклад прижался к плечу, левый глаз зажмурился, и в перекрестье прицела замелькали яркие мишени.

Лена уняла дрожь в руках, навела прицел на одну из мишеней, это была ветряная мельница с вращающимися крыльями. Лена никогда не стреляла, тем более по движущейся мишени, она понимала, что у нее нет ни одного шанса попасть, но все же нажала на спусковой крючок — просто чтобы отделаться от назойливого хозяина.

Раздался негромкий щелчок.

Лена положила ружье, она не сомневалась, что промазала... но хозяин уже спешил к ней, радостно улыбаясь:

— Отличный выстрел! Я удивлен! Поздравляю! Вы выиграли главный приз!

— Как? Разве я попала? — недоумевала Лена.

— Попала, попала! — Хозяин кивал, как китайский болванчик, и протягивал ей игрушку.

Это был все тот же мультяшный тигренок — такой же, как на афише тира, такой же, как на листочке из куртки ночного водителя.

— Мне не нужно, — бормотала Лена, отмахиваясь от хозяина с его глупым подарком. — У меня нет детей.

— Нужно, нужно! — отвечал хозяин и заговорщицки подмигивал ей сразу двумя глазами. — При чем здесь дети! Это не для детей! Это для вас, именно для вас! Ведь вы предъявили талон... вот, возьмите! Берегите это как зеницу ока!

Он положил игрушечного тигренка в яркий пластиковый пакет и всунул в Ленину руку.

— Берегите! Никто не должен это видеть! И когда вы будете слушать песню, никого не должно быть рядом!

— Песню? — спросила Лена с недоумением. — Какую песню?

— Как какую? — Брови хозяина тира полезли на лоб. — Разве вы не знаете? Вы должны знать!

Лена хотела возразить, хотела еще что-то спросить, но в это время на нее налетел Василий.

— Где ты пропадаешь? — возмущался он. — Я тебя всюду искал! Мы опаздываем!

— Ты сам разговаривал по телефону, — проворчала в ответ Лена.

— Ну ладно, ладно, пошли скорее!

На объекте они провозились до самого конца рабочего дня, так что, закончив работу и простившись с Василием, Лена поехала домой.

Место, где она обычно ставила свою машину, было занято, поэтому Лена припарковалась в стороне от своего дома. Выходя из машины, она увидела на сиденье яркий пластиковый пакет. В первый момент она удивилась, откуда он взялся, но потом вспомнила духовой тир, в котором выиграла смешного тигренка, и хозяина тира, который убеждал ее беречь эту игрушку как зеницу ока. Странные попадаются люди!

Тем не менее Лена взяла пакет с игрушкой в свободную руку.

Ей показалось, что пакет стал гораздо тяжелее, чем был утром, — наверное, она устала за рабочий день.

Заперев машину, Лена направилась к своему дому.

Остановившись возле подъезда, она рылась в сумочке в поисках ключей, когда рядом с ней возникла странная парочка. Один был рыжий, с оттопыренными розовыми ушами и круглыми голубыми глазами, похожими на две пластмассовые пуговицы. Интеллекта в этих глазах было примерно столько же, сколько в пуговицах. Второй был мрачный бритоголовый тип, на лице которого большими буквами были написаны врожденные и приобретенные криминальные наклонности.

Рыжий тип подскочил к Лене, громко крикнул «Ку-ку!» и попытался схватить ее за руки. От него Лена благополучно увернулась, но в это время его бритоголовый приятель зашел с другой стороны и крепко ухватил ее за локоть.

Лена каким-то шестым чувством поняла, что бритоголовый куда опаснее своего напарника, и тут же, ни секунды не раздумывая, с размаху огрела его по бритой голове пластиковым пакетом.

Раздался примерно такой звук, с каким строители забивают сваи в особенно прочный грунт. Бритоголовый покачнулся, выпустил Ленин локоть и неуверенно шагнул в сторону. Видно было, что он утратил ориентацию во времени и пространстве. По крайней мере, временно.

У Лены в голове промелькнула мысль, что мягкая игрушка в пластиковом пакете не могла произвести такое мощное поражающее действие. Но мысль эта была несвоевременная, сейчас нужно было быстрее спасаться. К счастью, рыжеволосый тип был потрясен и деморализован Лениной контратакой. Он подскочил к своему напарнику, сочувственно причитая:

— Что с тобой, Батон? Чем это она тебя?

В это же время Лене подоспела неожиданная помощь: за спиной у бандитов возникли две бабки, которые круглые сутки сидели возле соседнего подъезда, наблюдая за жильцами дома и сладострастно перемывая им косточки.

Впереди, как крепостная башня, возвышалась толстая, монументальная старуха, за спиной у нее укрывалась ее шустрая и подвижная приятельница. И вот эта-то шустрая особа решила исход сражения: выскочив из-за широкой спины своей подруги, она ткнула в спину рыжеволосого складным зонтиком. Зонтик от удара открылся с громким хлопком, рыжеволосый принял этот хлопок за выстрел, а поскольку он не видел, что происходит у него за спиной, он перепугался, подхватил своего напарника и бросился наутек, при этом вереща дурным голосом.

Лена не стала ожидать развития событий, не стала она и благодарить выручивших ее старух — она быстро открыла дверь подъезда и скрылась за ней.

Только поднявшись на свой этаж и войдя в собственную квартиру, Лена перевела дыхание и осознала, что в руках у нее ничего нет, кроме сумки.

То есть в процессе боевого столкновения с парочкой бандитов она лишилась пластикового пакета с игрушкой, которую выиграла в духовом тире.

Теперь, прокручивая в памяти схватку возле подъезда, Лена вспомнила, что бритоголовый тип выхватил у нее из рук пакет после того, как она этим пакетом огрела его по голове.

Ну и черт с ним, подумала Лена.

Она не ребенок, чтобы возиться с плюшевыми зверями.

Правда, хозяин тира что-то говорил об этом тигренке — мол, его нужно беречь как зеницу ока...

Да мало ли в городе безобидных сумасшедших!

В холодильнике было пусто. Ну еще бы, если неделю в магазин не ходить, то в холодильнике лишь плесень вырасти может. Лена нашла только два яйца и совершенно засохший кусок сыра. А еще — ура! — в морозилке завалялась пачка сосисок, а в буфете — пакет крекеров.

Через двадцать минут жизнь показалась Лене не так плоха. Она положила на тарелку омлет с сыром, туда же три сосиски и села ужинать, рассеянно глядя в окно. На улице был тихий почти летний вечер. Молодые отцы катили коляски, дамы выгуливали маленьких собачек, изредка проезжали машины. Вон и ее красная «Мазда» стоит на стоянке у магазина, во дворе сегодня не было места.

Вспомнив про сегодняшний случай у подъезда, Лена ощутила беспокойство. Сколько лет живет она в этом доме... ну да, бабушка умерла восемь лет назад, пока Лена ремонт сделала, пока мебель купила... ну да, шестой год уже живет она самостоятельно. А до этого сколько к бабушке ходила — никогда такого не случалось, чтобы к кому-то из жильцов у собственного подъезда бандиты приставали.

Вот чего они от Лены хотели? Ограбить? Да что с нее взять-то? Два здоровенных мужика напали на женщину, чтобы отнять у нее сумку? Это наркоман какой-нибудь может или подросток.

Лена доела омлет и налила себе крепкого черного чая. Это у нее от бабушки, та зеленый чай терпеть не могла, трава и трава, говорила, веник вон заварить да и пить. И сахар покупала кусковой, и колола его щипчиками на мелкие кусочки, у Лены сохранились и щипчики, и сахарница серебряная — беречь надо как память.

От чая в голове не то чтобы просветлело, но появились здравые мысли. И Лена поняла, что этот случай следует рассматривать не отдельно, а в совокупности со всем, что произошло с ней за последние несколько дней. И надо, наконец, разобраться, что же такое случилось, потому что это уже серьезно, вон Катьку-то убили.

Тут Лена вспомнила визит шкафообразного Толика и его рассказ про Катьку и про ее дела с каким-то таинственным мужчиной. Не то чтобы она Толику не поверила, хотя с какой стати ему верить? Она его два раза в жизни видела. Сомнительный какой-то этот Толик!

Удивившись своему раздражению, Лена решила оставить пока Толика в покое и сосредоточиться на себе. Итак, если допустить, что эти двое напали на нее не с целью ограбить, то получается, что они хотели ее похитить? Но зачем? Уж ясно, не с целью выкупа, она не дочь олигарха, платить за нее никто не будет. Тогда, значит, они хотели у нее что-то узнать. Опять-таки, Лена ничего важного не знает.

Лена отхлебнула еще чаю и решила начать сначала. Значит, той ночью подсадил ее случайный водитель, у которого, как видно, были свои неприятности. Он вез ее окольными путями, потом остановился, потому что Лене стало плохо, а когда она вернулась, водителя уже увезли. Причем раненого. Что-то им от него было нужно, и этого они не нашли. Тогда водитель и выдал им Лену. То есть... то есть не Лену, а Катьку, ведь Лена назвалась ее именем и сказала, что в больнице работает! Они и пришли за Катькой и в суматохе ее убили. А что, если это те двое, что сегодня были, — рыжий у них совсем без мозгов, круглый идиот. Но что им нужно от Лены? Ведь из машины она взяла только старую куртку, а в ней нашла листовку. Которую сегодня предъявила в тире, и ей выдали взамен игрушечного тигренка. Стоп! Ведь эти двое забрали у нее пакет с игрушкой! Неужели им это было нужно?

— Дурдом! — сердито сказала Лена. — Кругом одни психи!

Тут же она вспомнила, как пожилой хозяин тира очень серьезно просил ее беречь игрушку и никому про нее не говорить и не показывать.

— Да пошли они все! — снова произнесла Лена вслух, и тут ее обожгла мысль, что это она, она, и больше никто, виновата в Катькиной смерти, ведь это она, сама того не желая, навела на нее бандитов. Ужас какой!

— Я не хотела, — сказала она и опомнилась, что разговаривает сама с собой. Это плохо, так и с катушек слететь недолго.

Позорно покинув поле боя, рыжеволосый тип направлялся к своей машине. Своего напарника он волок за собой, поскольку тот был все еще не в своей тарелке.

Наконец, уже подходя к тому месту, где они оставили внедорожник, бритый встряхнул головой и огляделся. Видимо, к нему вернулась память и сознание.

— Что это было? — проговорил он, повернувшись к напарнику.

— Да тебя девчонка эта огрела по голове, и ты вроде как отключился. А потом на нас еще кто-то напал. Я их не видел, потому что напали трусливо, сзади, но точно тебе скажу — это были профессионалы, и было их человек пять. Иначе бы мы не отступили. Потом, ты же был не в форме, а мне надо было тебя... того... вынести с поля боя.

— Да я вроде своими ногами шел... — засомневался бритоголовый.

— Ноги-то у тебя были в порядке, а вот голова...

— Значит, опять мы ее упустили! — вздохнул бритоголовый. — Шеф будет недоволен.

— Не горюй, Батончик! Никуда она от нас не уйдет. Мы же теперь точно знаем, где она живет. А потом, ты же у нее пакет отобрал!

— Пакет? — Бритоголовый, похоже, только сейчас заметил яркий пакет в своих руках.

— Ну да! Отдадим пакет шефу, думаю, он будет доволен. Он ведь велел нам забрать все ее вещи.

— Но про пакет он вроде не говорил... а что хоть в этом пакете?

— Лучше не смотри, Батончик! Меньше знаешь — крепче спишь.

За таким увлекательным разговором напарники подошли к тому месту, где оставили свой внедорожник. И тут они увидели ужасное.

Кто-то поставил свою машину так, что она перегораживала их автомобилю дорогу. То есть они не могли уехать от злополучного дома.

— Какая зараза поставила здесь свою консервную банку?! — возмущенно воскликнул рыжеволосый. — Ну мало ей... то есть ему не покажется! Для начала я его чертову машину раскурочу, а потом им самим займусь!

Бритоголовый попытался остановить своего вспыльчивого друга, но было уже поздно: тот поднял с земли кирпич и швырнул его в лобовое стекло чужой машины.

Тут же диким голосом завыла сигнализация.

Рыжеволосый застыл, держа в руках второй кирпич.

— Ну вот, опять ты сперва делаешь, а потом думаешь! — тяжело вздохнул его напарник.

— Ничего, сейчас на ее голос хозяин прибежит, тут-то мы его и отметелим! И заодно заставим свою керосинку отогнать, чтобы мы могли выехать.

На этот раз рыжебородый оказался прав: от соседнего подъезда на голос сигнализации уже бежал какой-то парень в черной кожаной куртке. Однако что-то в его внешности не понравилось бритоголовому. На кого-то этот парень был смутно похож.

Он хотел было остановить своего напарника, но тот уже бросился в атаку. Первым делом он швырнул в голову незнакомца кирпич, который уже приготовил для его машины. Правда, кирпич задел только плечо, но рыжий на этом не остановился, он налетел на злополучного автовладельца, как бык на тореадора... правда, тоже как бык, он пролетел мимо, быстро развернулся и ударил незнакомца по шее.

Тот выглядел явно удивленным, но не испуганным. Отскочив в сторону, он пропустил рыжеволосого мимо себя, а потом ухватил его за руку и заломил эту руку за спину. В то же время от подъезда подоспели еще трое парней, неуловимо похожих на первого и друг на друга.

И тут бритоголовый понял, кого все эти парни ему напоминают.

Они напоминали ему ментов из незабвенного телевизионного сериала. А также обычных, не телевизионных полицейских.

— Кажется, на этот раз мы действительно влипли... — проговорил бритоголовый, с тоской глядя на прибывающих противников.

— Да чего там влипли! — верещал рыжеволосый, пытаясь вырваться из железной хватки мрачного парня. — Бей его, Батон! Мы от них запросто отобьемся! Подумаешь, четверо против двоих! Мы и не в таких передрягах бывали! Бей, Батон!

— Так это Батон собственной персоной! — радостно воскликнул один из новоприбывших. — Старый знакомый! Сколько лет, сколько зим!

— У вас на меня ничего нет, — уныло пробормотал бритоголовый. — Совсем ничего.

— Как это — ничего? А нападение на полицейских, причинение материального ущерба... — Мент показал на разбитое стекло своей машины. — С твоей прежней репутацией загремишь ты лет на пять, как пить дать! Ну и дружок твой, само собой.

В это время из подъезда выскочила разбитная девица в коротком красном платье. С трудом ковыляя на высоченных каблуках, она подбежала к живописной группе и бросилась на шею хозяину побитой машины.

— Лешенька, ты цел? Ты невредим? Эти бандиты тебе ничего не сделали?

— Спокойно, Татьяна, — солидно ответил он, — что они мне могут сделать?

— Мальчики, вы уезжаете? А как же кофе?

— Нет времени на кофе! — вступил в разговор старший из полицейских. — Уж прости, Таня, но служба прежде всего! Тут, видишь, опасных преступников задержали.

Полицейские защелкнули наручники на запястьях незадачливых напарников и запихнули их в свою машину.

За этими событиями с безопасного расстояния наблюдали две бдительные пенсионерки — монументальная и шустрая.

Увидев, как криминальную парочку благополучно оприходовали и увезли, мелкая старушка с торжествующим видом сказала своей крупной товарке:

— Вот видишь, и мы с тобой внесли свою скромную лепту в охрану правопорядка!

— Внесли, Анфиса, — согласилась с ней подруга. — Значит, не зря сегодняшний день прожит!

— А вот ругалась ты на Таньку Рыбакову, что она мужиков водит, а оказалось, от нее польза большая. Теперь ни один бандит к нам во двор не сунется!

— Не знаю, не знаю... — с сомнением проговорила полная старуха, — то есть менты-то вовремя подоспели, это хорошо, а вот что эти двое вообще у нас во дворе делали?

— К Ленке Дроздовой привязались... ой! — испуганно пискнула маленькая старуха.

— Вот то-то, что ой! И я думаю, а не та ли баба, что тут на скамейке рыдала, их наняла?

— Вишь ты, что выдумала! — возмутилась маленькая. — Одно дело — самой пойти отношения выяснять. Ну волосы повыдергать, глаза выцарапать, платья там изорвать, шубу изрезать. Это дело хорошее, понятное. А совсем другое дело — бандитов нанимать, это уж чистая уголовщина получается!

Придя на следующий день на работу, Лена сразу наткнулась на Василия.

Это само по себе было странно — он любил поспать и обычно приходил позже всех. Но помимо этого, глаза Василия подозрительно блестели. Так бывало, когда он устраивал какой-нибудь особенно удачный (по его мнению) розыгрыш.

Василий смотрел на Лену с таким очевидным предвкушением, что она забеспокоилась и на всякий случай оглядела себя в зеркале, даже при помощи второго зеркальца осмотрела себя сзади — не прикрепил ли Вася в порыве своего специфического остроумия ей на спину какую-нибудь дурацкую записку.

Вроде все у нее было в порядке, но Василий явно чего-то ждал.

Наконец Лена не выдержала, подошла к нему и прямо спросила:

— Ну что ты там такое учудил?

— А ты ничего не заметила? — спросил он, едва не подскакивая на месте от удовольствия.

— Что я должна была заметить?

— У тебя ничего не пропало?

— Да говори уже прямо — что ты устроил?

Тут Василий вытащил из-за пазухи игрушечного тигренка, зашевелил его лапами и запел дурацким тоненьким голосом:

— Я на солнышке лежу и на солнышко гляжу, все лежу и лежу, и на солнышко гляжу...

— Во-первых, там был не тигренок, а львенок, — перебила его Лена. — Значит, ты вытащил этого тигренка из пакета. А что ты положил вместо него?

— Образец деревянной опоры с вчерашнего объекта, — честно признался Василий.

Лена вспомнила тяжелые деревянные чурбачки, которые она осматривала вчера на объекте на предмет определения их надежности. А также вспомнила, что после работы пакет показался ей гораздо тяжелее. А также — какой звук издал этот пакет, когда она приложила им по голове бритоголового бандюгана.

— По-моему, это очень смешно... — неуверенно проговорил Василий.

Второй год он работал у них в фирме, общался с нормальными людьми, но никакого прогресса не наблюдалось. Все те же детские представления.

— Действительно, смешно! — согласилась Лена и улыбнулась.

Надо все же поддержать человека. Не зря же он так старался. К тому же Лена вспомнила, с каким звуком пакет шлепнул по бритой бандитской голове, и рассмеялась от души.

— Ну теперь можешь его взять. — Василий протянул ей тигренка. — Мне чужого не нужно. Кстати, какую это песню он поет? Я ее никогда раньше не слышал.

— Песню? — переспросила Лена. — Какую песню?

— Ну как же! Если здесь нажать...

Василий нажал пальцем на живот тигренка. Видимо, там была спрятана незаметная кнопка, которая включила миниатюрный динамик, и странный, волнующий голос запел:

> — *Степь... белая степь... зимняя степь...*
> *Скачет по зимней степи*
> *Белый как снег жеребенок,*
> *Белый как снег стригунок...*
> *Спи, мой сынок,*
> *Спи, мой ребенок,*
> *Спи...*

Странная это была песня, совсем не детская — хотя слова были, как в обычной колыбельной, но за этими словами скрывалась какая-то печальная, недетская тайна.

И голос был странный — даже не понять, мужчина поет или женщина.

На Лену эта песня подействовала очень необычно. Ей привиделась вдруг бескрайняя снежная равнина, по которой скачет, смешно взбрыкивая тонкими ногами, белый жеребенок.

А дальше, там, откуда прискакал этот жеребенок, едут по степи всадники. Много этих всадников, много, как песчинок в пустыне, как капель воды в море. Едут они на приземистых мохнатых лошадях, едут в далекие, незнакомые края, в поисках славы и добычи.

— Что здесь происходит?! — раздался вдруг рядом с Леной громкий раздраженный голос.

Лена вздрогнула и очнулась, сбросив странное оцепенение, видение зимней степи.

Рядом с ними стоял шеф, лицо его пылало праведным гневом.

— Вам что — совсем делать нечего? Музыку в рабочее время слушаете? Зайдите оба ко мне, немедленно!

Лена и Василий, присмирев, зашли в кабинет шефа.

— Что вчера удалось выяснить на объекте? — спросил он, немного успокоившись.

Лена бойко отрапортовала о результатах вчерашних исследований, и настроение у шефа заметно улучшилось. Он еще раз отругал их для порядка и отпустил с миром.

До конца рабочего дня время пролетело незаметно.

Прежде чем ехать домой, Лена решила пройтись по магазинам, купить чего-нибудь из еды — в холо-

дильнике у нее даже мышь побрезговала бы удавить-
ся, она бы туда просто не зашла, что ей там делать?

Недалеко от их офиса были торговые ряды.
Лена пошла по ним, думая, чего бы купить, как
вдруг замерла на месте.

Рядом с ней был магазинчик, торговавший
дисками с музыкальными записями и фильмами,
и из двери этого магазинчика лилась странная, завораживающая песня:

> *...Скачет по зимней степи*
> *Белый как снег жеребенок,*
> *Белый как снег стригунок...*

Лена толкнула дверь и вошла в магазинчик.

За прилавком стоял продавец, парень лет тридцати, с круглой смешной физиономией, круглыми блекло-голубыми глазами и длинными, неле-
по подстриженными светлыми волосами, которые
делали его похожим на Страшилу Мудрого из детской сказки.

— Что это за песня? — смущенно спросила
Лена продавца. — Кто ее поет?

— Песня? Какая песня? — встрепенулся он. —
Да это же Фредди Меркьюри.

Действительно, из динамиков лились хорошо
знакомые звуки «Богемской рапсодии».

— Нет, не эта... до нее была другая... — И Лена
попыталась напеть ту странную песенку:

> — *Степь... белая степь... зимняя степь...*
> *Скачет по зимней степи*
> *Белый как снег жеребенок...*

Продавец посмотрел на нее как-то странно.

— Ах, вот вы о чем... — Он отошел за прилавок, порылся под ним и достал плоскую коробочку с компакт-диском.

— Вот он, этот диск... даже не знаю, как он ко мне попал. Видно, случайно, по ошибке среди других затесался. Никаких выходных данных — ни названия группы, ни имени автора, одно-единственное слово на обложке.

Действительно, на обложке диска было напечатано единственное слово — «Скифы». А еще на этой обложке была фотография какого-то красивого двухэтажного дома. Дом был необычной архитектуры, с круглым порталом, черепичной кровлей, цветными стеклами витражей и остроконечной башенкой, которая делала его похожим на небольшой средневековый замок.

Эта фотография совершенно не вязалась ни с названием диска, ни с содержанием той единственной песни, которую услышала с улицы Лена, той песни, которая привела ее в этот магазинчик.

— Я куплю у вас этот диск, — сказала Лена не раздумывая.

— Купите? Отлично.

— Сколько с меня?

Продавец назвал смешную, чисто символическую цену и пояснил, что все равно не знал, что делать с этим диском.

— Вряд ли его кто-то купит, кроме вас. И названия такой группы я в жизни не встречал.

Лена поблагодарила его и спрятала диск в сумку и только в машине вспомнила, что так и не купила продуктов. Что ж, пришлось заехать в итальянский ресторанчик и взять там пиццу навынос.

Пицца была суховата и островата, Лена запила ее чаем, потом достала диск и вставила его в компьютер. Из колонок полилась уже знакомая ей песня, странный гипнотический голос запел:

> — *Степь... белая степь... зимняя степь...*
> *Скачет по зимней степи*
> *Белый как снег жеребенок,*
> *Белый как снег стригунок...*

И снова перед Лениными глазами возникла странная, завораживающая картина — бескрайняя зимняя степь и движущаяся по ней в молчании колонна всадников, бесконечная колонна бородатых воинов на низкорослых косматых лошадях.

На первом плане скакал белый как снег жеребенок, смешно взбрыкивая тонкими ногами.

Лена с трудом сбросила с себя оцепенение. Она выключила звук, взяла в руки коробку от диска и внимательно осмотрела ее, в первую очередь — фотографию дома на обложке.

У нее, как-никак, было архитектурное образование, поэтому она сразу отметила, что это — здание стиля модерн, выстроенное, скорее всего, в самом начале двадцатого века, в девятисотые годы.

Больше того, дома такого рода строили себе богатые жители Петербурга в дельте Невы, на Крестовском, Каменном или Петровском островах, где тогда было престижное место для загородных дач. Здесь построены знаменитая дача сенатора Половцева, «дом-сказка» архитектора Мельцера, дача Гусвальд, известная по фильмам о Шерлоке Холмсе, дом Фолленвейдера, дача Бутурлина и многие другие. Многие из этих дач сохранились до нашего времени.

Лена достала с полки альбом архитектуры северного модерна, нашла в нем соответствующий раздел и пролистала его.

И тут, между дачей Половцева и домом Фолленвейдера, она нашла знакомый особняк.

Круглый портал, башенка, покатая черепичная крыша, цветные стекла витражей... да, несомненно, это был тот самый дом, фотография которого украшала обложку диска.

Под фотографией была надпись:

«Дача банкира Майера. Архитектор Поливанов, 1907 год».

О таком архитекторе Лена раньше не слышала.

Она включила в компьютере поисковую программу и задала ей запрос о даче банкира Майера. Программа тут же выдала ей знакомую фотографию, а также подробную справку.

Из этой справки Лена узнала, что дача Майера была, как и почти все остальные дачи банкиров и министров, национализирована сразу после революции. Какое-то время в ней находился приют для беспризорных детей, затем беспризорников куда-то переселили, а в особняке разместили штаб анархистов.

Анархисты продержались недолго, и в особняк въехал клуб военных моряков. Позднее и клуб прекратил свое существование, а на его месте возникла небольшая клиника лечения нервных болезней.

Клиника просуществовала много лет, только в девяностые годы прошлого века она закрылась, уступив место какой-то коммерческой фирме. Эта фирма, в свою очередь, разорилась несколько лет назад. Что стало после этого с бывшей дачей Майера, интернет не сообщал.

Лена решила, что стоит туда наведаться — тем более места вокруг красивые и погода стоит для нашего города исключительная. Она и сама не знала, зачем это делает. Просто песня действовала на нее как-то странно, будила в ней не воспоминания, нет, но сильные чувства. Какие — вот вопрос, который Лена пока решила себе не задавать.

Завтра воскресенье, и можно было бы использовать единственный выходной для того, чтобы привести в порядок квартиру и собственную внешность, но скучно целый день этим заниматься, тем более что вечером все равно некуда пойти. Никто ее не ждет, никто на свидание или в компанию не приглашает, этак можно до того докатиться, что с этим неандертальцем Василием роман закрутить. От полной безысходности. Хотя что это она, неандертальцы, говорят, были хорошие, неагрессивные, сородичами своими не обедали, вообще мяса не ели... Нет, Василий явно произошел от другой обезьяны!

По аналогии Лена вспомнила, как этот дуралей Василий вытащил у нее из пакета тигренка. И получается, что все к лучшему, иначе те два урода унесли бы тигренка. Стало быть, нужно этот вопрос с песенкой прояснить. А то водитель тот, может, из-за этой песенки жизни лишился. И Катька бедная...

Наступил самый темный час ночи, час, когда засыпают даже те, кто почти никогда не спит. Час, когда умирают те, кому суждено умереть во сне, час, когда к спящим людям прилетают страшные сны. Сны, после которых можно не проснуться.

Огромный скифский лагерь спал. Спали воины и слуги, спали военачальники и рабы. Стоя спали мохнатые, неказистые скифские лошади, всхрапывая во сне. Костры, на которых вечером кочевники готовили еду, постепенно угасали, и только изредка вспыхивали последние языки пламени.

Не спали только часовые, отборные воины, выставленные возле кибитки молодого царя и возле еще одной кибитки, охранявшейся еще лучше, чем царская.

На часах возле этой кибитки стояли могучие и опытные воины, проверенные в десятках сражений и в сотнях разбойничьих походов. Время от времени они обменивались сигналами — уханьем филина или криком козодоя.

Один из этих часовых вдруг заметил промелькнувшую неподалеку тень — словно в темноте скользнуло пятно еще более темное. Воин шагнул вперед и схватился за рукоять меча. Однако тень исчезла, и он подумал, что это — ночной морок.

Прошло несколько минут, и тень снова мелькнула перед ним, только гораздо ближе. Воин моргнул, чтобы очистить свое зрение — и тут совсем рядом с ним появилась тоненькая, стройная фигурка, закутанная в черный плащ.

— Кто ты? — тихо спросил часовой, снова схватившись за рукоять меча. Впрочем, ночной гость был так мал ростом, что не представлял никакой опасности.

— Уходи прочь, — проговорил часовой так же тихо, как прежде. — Здесь нельзя ходить.

— Я — всего лишь твой сон! — прожурчал в темноте голос. Голос этот был тихий, как шорох весенней травы, и нежный, как пение райской птицы.

Черный плащ распахнулся, и часовой разглядел в темноте глаза, сияющие, как августовские звезды, и губы, благоухающие, как лепестки весенних цветов.

«Это точно сон! Такой красоты не бывает на свете!» — подумал часовой с непонятной тоской.

Он почувствовал укол тревоги — ведь спать на посту никак нельзя, особенно на таком важном. Он попытался проснуться — но не смог. А прекрасные глаза смотрели прямо в его сердце, и прекрасные губы тянулись к его губам...

«Это только сон, а во сне можно делать все что угодно! Все что угодно!»

Часовой потянулся губами к губам ночной феи, потянулся руками к ее нежному стану...

И в тот же миг узкое лезвие кинжала, пронзив кожаный нагрудник, вонзилось в его сердце. Часовой охнул от удивления, потянул меч из ножен, но успел его вытащить только до половины. Он упал на траву, дважды дернулся и затих.

В это время неподалеку раздался крик козодоя — это второй часовой проверял своего напарника.

Ночная фея ответила точно таким же криком, затем огляделась по сторонам и скользнула к кибитке, которую охранял незадачливый часовой.

Подкравшись к самой кибитке, женщина легла на траву, подкатилась под самое днище и на несколько мгновений застыла, вслушиваясь в звуки ночи.

Все было тихо.

Тогда гречанка тем же кинжалом, которым только что убила доверчивого часового, сделала крестообразный надрез на кожаном днище кибитки.

Раздвинув этот надрез, как края раны, она втянулась в кибитку, как вползает в дом ядовитая змея.

Теперь она неподвижно лежала под кошмой, покрывающей днище кибитки.

Несколько бесконечно долгих секунд гречанка оставалась под кошмой и вслушивалась в царящую внутри кибитки тишину, впитывала эту тишину всем своим телом, всей кожей.

Она слышала чье-то ровное, спокойное дыхание, едва различимый шепот огня и потрескивание остывающего, отдающего дневное тепло деревянного остова кибитки. Все это были звуки спокойные, безопасные, не таящие в себе угрозы.

Гречанка приподняла край кошмы и огляделась.

Прямо перед ней на медном подносе горел масляный ночник, освещавший внутренность кибитки неровным красноватым светом. В этом свете можно было разглядеть в беспорядке сваленные золотые сосуды, драгоценные чаши и кубки, украшенное самоцветными камнями оружие и доспехи — ассирийские, египетские, набатейские, хеттские, халдейские. Также были здесь ларцы из резной слоновой кости и драгоценного ливанского дерева и тяжелые кожаные мешки, наверняка наполненные бесценными украшениями и монетами, добытыми в разных странах.

Это была передвижная сокровищница скифских царей, сокровищница, которая повсюду следовала за владыками степи.

Но не эти сокровища интересовали прекрасную гречанку, не за ними пришла она в кибитку. Ее взгляд был прикован к небольшому ларцу, на крышке которого было вырезано лицо с единственным всевидящим глазом. Гречанка знала, что в этом ларце хранится царский венец, и она не могла вернуться без этого венца.

На кошме возле заветного ларца лежал огромный скиф. Он крепко спал, рот его был приоткрыт, косматая борода лежала на мощной груди, приподнимаясь в ритме дыхания.

Гречанка скользнула к спящему воину, бесшумная и опасная, как ядовитая змея.

Скиф забормотал во сне и сменил положение. Женщина метнулась к нему, как атакующая кобра.

Левой рукой она закрыла рот спящего воина, чтобы он не издал ни звука, кинжалом, сжатым в правой руке, перерезала его горло.

Скиф застонал, открыл безумные глаза, попытался встать — но темная кровь фонтаном хлынула из перерезанного горла, и он бездыханным вытянулся на окровавленной кошме.

Гречанка выждала несколько секунд, затем протянула руки к заветному ларцу.

И в ту же секунду к ее собственному горлу прижалось холодное лезвие ножа, и едва слышный, полный ненависти голос прошипел прямо в ее ухо:

— Кто тебя послал?

Гречанка попыталась вывернуться, попыталась ударить невидимого врага окровавленным кинжалом, но чья-то сильная рука сжала тонкое запястье, и кинжал упал на кошму, в то время как широкий нож еще сильнее прижался к нежному горлу гречанки.

— Кто тебя послал? — прозвучал тот же тихий голос.

— Отпусти... — прошептала гречанка жалобно. — Я не могу говорить... ты меня задушишь.

— Отпустить? Отпустить тебя — все равно что отпустить черную гадюку!

Однако нож чуть отстранился от горла женщины. Теперь она могла разглядеть своего врага.

Это была женщина, смуглое лицо которой выражало гнев и ненависть.

— Кто ты, госпожа? — прошептала гречанка, испуганно глядя на эту женщину.

— *Можно подумать, что ты не знаешь, кто я!* — *ответила та.* — *Я* — *Наис, мать молодого царя! А вот кто ты? А самое главное* — *кто тебя послал? Впрочем, можешь не говорить* — *я и так знаю. Тебя послала эта напыщенная тварь, эта ведьма, эта гиена в человеческом облике* — *мать Кемериса! Она всегда смотрела на меня свысока. Еще бы, ведь я* — *простая полонянка, рабыня, пленница из далекой земли, а она* — *знатная особа из скифского рода! Ей было невдомек, что мой род куда древнее и знатнее ее жалкой варварской семьи... так что* — *я права? Это она тебя послала?*

— *Вы видите меня насквозь, госпожа,* — *ответила гречанка с голубиной кротостью.*

— *Что ты должна была украсть? Можешь не говорить, я и без того знаю* — *ты должна была украсть царский венец! Эта мерзавка хочет заполучить его для своего сына, чтобы вместе с ним передать этому змеенышу царскую власть! Но у нее ничего не выйдет, я разоблачу ее коварные замыслы! Мерзавка будет казнена вместе со всеми своими сторонниками!*

— *Ты знаешь не все, госпожа,* — *проговорила гречанка еще тише, чем прежде.* — *Главное, что мне поручили* — *это не венец... самое главное* — *не это...*

В глазах гречанки вспыхнул страх, она прошептала что-то едва слышно.

— *Что ты там бормочешь, мерзавка?* — *Женщина низко склонилась к ней, приблизила ухо к ее нежным губам, чтобы расслышать этот горячий шепот.*

И в то же мгновение гречанка плюнула в ухо скифской царицы, выплюнув рыбий пузырь, который она прятала у себя во рту. Пузырь лопнул в ухе Наис, выплеснув сок дурманящего растения, произрастающего в аравийской пустыне. Наис удивленно охнула, глаза ее широко раскрылись, едва не вылезли из орбит, и она повалилась на кошму рядом с мертвым воином.

Прекрасная гречанка убедилась, что царская мать лишилась сознания, и схватила заветный ларец.

Прижимая его к груди, она заползла под кошму и через разрезанное днище выбралась из кибитки.

Несколько минут она пролежала на земле под кибиткой, прислушиваясь к звукам ночного лагеря.

Вдруг совсем рядом раздался испуганный крик: скифы нашли мертвого часового. Тут же поднялся шум, началась суета, вспыхнули смоляные факелы.

Воспользовавшись этой суматохой, гречанка выскользнула из-под кибитки и бросилась в темноту, прижимая к груди под плащом драгоценный ларец.

На следующее утро, выходя из дома, Лена проверила почтовый ящик и нашла там письмо в роскошном голубом конверте.

Разорвав конверт, она увидела листок, в верхнем углу которого был отпечатанный заголовок:

«Государственный нотариус М. В. Бунчаков».

Ниже от руки, красивым и четким почерком было написано:

«Многоуважаемая Елена Павловна!

В процессе нотариального сопровождения завещания, исполнителем которого я являюсь, возникла настоятельная необходимость консультации с Вами. Поскольку Вы можете быть заинтересованы в исполнении данного завещания, настоящим убедительно прошу Вас в понедельник, двадцать второго мая, к десяти часам прийти в нотариальную контору по адресу...» — далее был написан адрес, расположенный совсем недалеко от Лениного дома.

В самом низу листка размещались красивая, размашистая подпись нотариуса и печать.

Лена была заинтригована: что за завещание и какой у нее может быть в этом завещании интерес?

Она решила наведаться к нотариусу Бунчакову. Назначенное время как раз завтра, она успеет заехать в контору перед работой.

А сейчас лучше сделать то, что она задумала, — взглянуть на бывшую дачу банкира Майера.

Она села в машину и отправилась на Каменный остров.

Острова Невской дельты были окутаны нежной дымкой свежей зелени, еще не опаленной безжалостным солнцем. Вовсю цвела сирень, и от ее запаха кружилась голова.

Лена проехала по мосту на Каменный остров, немного попетляла по узким аллеям и наконец увидела впереди знакомое здание.

Издали оно выглядело так же, как на обложке диска, — круглый портал, черепичная крыша, остроконечная готическая башенка. Однако, подъехав ближе, Лена увидела, что черепица с крыши наполовину осыпалась, дверь была заколочена крест-накрест серыми от непогоды досками, а от витражных стекол почти ничего не осталось.

То есть ей стало понятно, что этот красивый и романтичный особняк уже много лет пребывает в запустении.

Вокруг особняка был дощатый забор, призванный ограждать его от местной шпаны, но даже издали было видно, что многие доски вовсе оторваны или висят на одном гвозде, так что проникнуть в здание не представляет никакого труда.

Впрочем, Лена не собиралась это делать. У нее не было для этого особых причин, а судя по внешним признакам запустения, внутри она ничего не найдет, кроме грязи и мусора.

Она хотела уже развернуться и уехать, как вдруг услышала доносящуюся из особняка музыку.

Это была та же самая песня, которая привела ее сюда, песня с того диска, на котором она увидела фотографию дачи Майера.

> *«Степь... белая степь... зимняя степь...*
> *Скачет по зимней степи*
> *Белый как снег жеребенок...»*

Да что же это такое! Откуда здесь может быть музыка? Или она, Лена, повредилась в уме и у нее глюки?

Лена закрыла машину, подошла к забору, отодвинула кое-как прибитую доску и протиснулась внутрь.

Участок вокруг дачи зарос бурьяном и лебедой. Среди этого зеленого буйства тут и там виднелись малоприятные признаки человеческого присутствия — пустые пивные бутылки, смятые пакеты из-под чипсов и орешков.

От дыры в заборе к крыльцу дома вела узкая тропинка, едва проглядывающая среди густо разросшихся сорняков. Лена пошла по этой тропинке к дому, откуда доносилась странная, завораживающая, гипнотическая песня.

Звуки песни постепенно затихли, и наступила тишина. Вдруг справа от тропинки трава заколыхалась, как будто там проползло какое-то большое и опасное существо.

Лена вздрогнула и опомнилась.

Что она делает здесь? Зачем идет в пустой, заброшенный дом, где ее не ждет ничего хорошего?

Но тут из дома снова понеслась та же самая музыка, та же самая песня.

— *Степь... белая степь... зимняя степь...*

И Лена, забыв о своих опасениях, снова пошла на доносящуюся из дома песню, как ночные насекомые летят на свет одинокой свечи. Она поднялась на крыльцо, которое предательски заскрипело под ее ногами, потянулась к двери...

И рука ее бессильно опустилась. Дверь перед ней была заколочена, и Лена испытала какое-то странное облегчение — ей не придется входить в этот дом, не придется сталкиваться с тем, что ждет ее там, за порогом.

Она спустилась с крыльца и хотела уже вернуться к своей машине, к своей жизни, но тут увидела, что тропинка, по которой она подошла к дому, не заканчивается возле крыльца, а идет дальше вдоль стены и заворачивает за угол.

Из дома все еще доносился странный бесполый голос:

...Скачет по зимней степи
Белый как снег жеребенок...

И Лена пошла за этим голосом по тропинке, как дети пошли за дудочкой Гаммельнского крысолова.

Обогнув дом, она увидела вторую дверь — задний вход. Эта дверь не была заколочена. Лена потянула за ручку — и дверь с громким скрипом отворилась.

Девушка вошла в дом.

Она оказалась в маленькой полутемной прихожей, заваленной каким-то хламом. Старые газеты покрывали пол этой прихожей, как покрывает землю ранний снег.

Вдруг дверь за Лениной спиной захлопнулась, и стало еще темнее.

Откуда-то из глубины дома все еще доносилась песня, и Лена пошла вперед, на этот голос.

Она прошла по короткому узкому коридору, толкнула еще одну дверь — и оказалась в большой комнате с высоким потолком.

Здесь было гораздо светлее — в этой комнате имелось огромное полукруглое окно, когда-то это окно украшал витраж, но теперь большая часть стекол была разбита, и остался только оконный переплет, сквозь который проникали яркие солнечные лучи.

А посреди этой комнаты, на пыльном полу, стоял старый проигрыватель для виниловых пластинок.

И именно из этого проигрывателя доносилась та песня, которая привела Лену в этот полуразрушенный дом, в эту комнату.

Песня закончилась, звукосниматель с негромким щелчком поднялся, и наступила тишина.

Лена как завороженная смотрела на проигрыватель.

Кто-то ведь должен был поставить на него пластинку. Кто-то должен был включить воспроизведение. И этот кто-то должен находиться совсем рядом, в этом доме...

Лена почувствовала зябкое прикосновение страха.

Она попятилась, не сводя глаз с проигрывателя.

И вдруг услышала за спиной скрипучий въедливый голос:

— Вот, значит, и попалась! Ну, сейчас будем полицию вызывать! Непременно будем вызывать!

Лена испуганно вздрогнула и резко развернулась. За ее спиной на пороге комнаты стоял толстый дядька лет шестидесяти, с круглой блестящей лысиной и обвислыми усами, одетый в черную униформу, отдаленно напоминающую форму американских полицейских, только сильно засаленную на обвислом животе.

Испуг, который испытала Лена при звуке скрипучего голоса в пустом доме, прошел при виде этого человека — до того он был заурядный и вульгарный. Особенно ее почему-то успокоило то, что она заметила ошметок вареной капусты, застрявший в его бесцветных усах.

— Вы кто? — спросила Лена, оглядев незнакомца.

— Вот интересно! — фыркнул тот. — Она меня еще спрашивает! Я-то известно кто, я-то сторож здешний, вернее сказать — охранник, а вот ты кто, это мы сейчас будем выяснять! Проникла, понимаешь, на охраняемый объект, ходит здесь, как у себя дома, еще, понимаешь, музыку играет! Вот сейчас я полицию вызову, и будем оформлять протокол!

— Какой еще протокол? — поморщилась Лена.

— Известно какой — протокол об административном правонарушении!

— Это мы еще посмотрим, кто будет протокол оформлять! — отчеканила Лена и достала из кармана свое служебное удостоверение.

— Это чтой-то такое... — забормотал сторож, и потянулся к удостоверению.

Лена в руки ему книжечку не дала, но подержала перед самым носом, чтобы он смог прочитать:

— Инспектор строительно-технического надзора.

Дальше, там, где мелкими буквами было напечатано название частной фирмы, в которой Лена работала, он прочитать не успел, но ему хватило и первой строчки, точнее, даже первого слова — инспектор.

Сторож сник, вытянулся по стойке смирно и безуспешно попытался втянуть живот.

— Я извиняюсь... я не знал, что вы инспектор. Если так, то вы в своем полном праве. А то я думаю — мало ли кто тут ходит. Сами знаете, какая сейчас молодежь — водку пьянствует, беспорядок нарушает... вот музыку тут играют... я и пришел проверить, как тут и что, а раз вы инспектор, значит, в своем праве.

— Я-то в праве, а вы, как я посмотрю, плохо за порядком следите! Вот откуда здесь этот проигрыватель взялся?

— Я же говорю — молодежь безобразит. Музыку, значит, играют, а то и танцы устраивают. Я-то один, а объектов много, мне за всеми не уследить. А вы, извиняюсь, из какой организации? Чтой-то я на вашем удостоверении не успел прочитать.

Лена поняла, что первый испуг у сторожа прошел, и сейчас он начнет к ней прикапываться, поэтому решила удалиться.

— Из какой нужно! Из такой, что вам об этом знать не положено! — ответила она строго и направилась к выходу, напоследок добавив: — Следите тут, чтобы никаких посторонних на объекте не было! Приеду — проверю!

На перекрестке остановилась дорогая дамская машина. Если бы Вера Сомова, медсестра из ортопедического отделения пятой городской больницы, увидела сидевшую в ней молодую женщину, она обязательно узнала бы в ней ту самую яркую блондинку, которая расспрашивала ее о безвременно погибшей Кате. Только на этот раз на блондинке не было зеленой больничной униформы, а была стильная кожаная курточка и узкие джинсы.

Когда зазвонил телефон, блондинка воспользовалась гарнитурой, чтобы не отвлекаться от дороги.

— Да? — спросила она насмешливо, узнав голос. — Ну разумеется, ваши орлы... — Очевидно, на том конце ее одернули, потому что она мигом убрала издевательскую интонацию. — Поняла, — сказала она, выслушав задание, — сделаю. Без проблем. Привезу ее к вам как миленькую. В целости и сохранности, в непопорченном виде, да-да. Когда? Думаю, завтра утром, перехвачу ее перед работой.

Закончив разговор, блондинка посмотрела на часы. Было десять вечера, в мае в нашем городе в это время довольно светло и темнеет только к часу. Что ж, ей предстоит ночная работа.

Глубокой ночью перед домом, где жила Лена Дроздова, появилась колоритная личность. Теперь бы уж Вера Сомова никак не узнала блондинку в старухе, что шла по улице. На старухе были широченные и очень грязные штаны, заправленные в резиновые сапоги, сверху — нечто напоминающее очень засаленную рабочую робу. Венчала наряд рваная джинсовая панама. Перед собой старуха толкала тележку из супермаркета, наполненную разной дрянью.

Ночь была относительно теплая, поэтому даже в такое позднее время на улицах попадались редкие прохожие. Прошли два сильно поддатых мужичка, затем обнявшаяся парочка, проехал велосипедист, потом мрачный мужчина провел на поводке пса, которому, надо полагать, срочно приспичило выйти. На бомжиху в панаме никто из прохожих не обратил внимания.

Поравнявшись с красной «Маздой», старуха остановилась и стала копаться в своей тележке, затем, опять-таки удачно этой тележкой прикрывшись, запихнула что-то в выхлопную трубу машины, после чего ходко пошла прочь, бормоча что-то себе под нос. В первом же переулке она бросила тележку, сунув туда же панаму и робу, мигом освободилась от штанов и сапог, оставшись в черных джинсах и неприметном свитерочке, сунула барахло в багажник своей машины (пригодится еще) и уехала, поглядев на часы и покачав головой. Мало времени осталось на сон, ну работа есть работа.

— Черт знает что! — Лена в который раз безуспешно попыталась завести машину.

И снова ничего не получилось. Ну что же это такое, ведь недавно только забрала «Мазду» из ремонта, а она опять сломалась. Ну устроит она скандал в том автосервисе, разнесет все на молекулы!

Но сейчас-то что делать? К нотариусу нужно успеть к десяти, а сейчас уже половина десятого. И как потом попасть на объект? Ладно, будем решать задачи по порядку.

Лена еще раз чертыхнулась, заперла машину и встала чуть в стороне, подняв руку. Тут же рядом с ней остановилась нарядная дамская машина, из нее выглянула довольно гламурная блондинка с ярко накрашенными губами и приветливо махнула рукой.

— Проблемы с машиной? — спросила она, дружески улыбаясь. — Могу подвезти!

— Да вот не заводится, а я тороплюсь! — Лена шагнула уже к нарядной машине, как вдруг рядом с ней возник кто-то большой и широкий, так что закрыл утреннее солнце.

Лена инстинктивно отшатнулась, и сильная рука поддержала ее. Перед глазами ее оказался тот самый пиджак, полы которого можно было принять за дверцы шкафа, только за ними были не полки с бельем, а рубашка, на этот раз темная. И галстук тоже темный.

— Что ты здесь делаешь? — прошипела Лена, задрав голову, чтобы поглядеть в глаза этому нахалу Толику.

Сказала же ему в прошлый раз, чтобы оставил ее в покое! Некоторые мужчины ужасно непонятливы!

— Спасибо, девушка, проезжайте, я сам ее куда надо отвезу! — сказал Толик гламурной блондинке, и Лене вдруг показалось, что лицо девицы на мгновение перекосилось и красные губы выплюнули неприличное ругательство.

Но нет, показалось, потому что блондинка пожала плечами и рывком тронула машину с места.

— Что ты здесь делаешь? — повторила Лена и сбросила руку Толика со своего плеча, отметив мимоходом, что вряд ли это у нее получилось бы, если бы он сам этого не захотел.

— Сегодня Катю хоронят, — спокойно сказал он, и Ленино лицо мгновенно обожгла краска стыда.

Хоть и не были они с Катькой подругами, а получается, что она невольно стала виновницей ее смерти. Признаваться в этом Толику она ни за что не станет, но, помнится, бабушка говорила, что если виновата ты перед человеком, то пойди на его похороны и простись по-хорошему, прощения попроси. Ему, может быть, и все равно уже, а тебе самой легче станет.

— Разве полиция нашла убийцу? — спросила Лена, смущенно отведя глаза.

— Тело выдали, — ответил Толик в обычной своей краткой манере. — Валерку выпустили, того малахольного слесаря тоже. Он со страху поднапрягся и вспомнил, что видел там возле щитовой одного такого... рыжего, в веснушках.

— И с виду совсем тупой? — оживилась Лена. — А с ним еще такой наголо бритый...

— Ты откуда знаешь?

— Да так... — Лена отвернулась, пожалев, что не сдержалась и наболтала лишнего.

— В общем, как раз этого рыжего позавчера менты повязали по другому делу, и по Кате экспертиза готова была, ну все и совпало. Слесарь рыжего опознал, так что дело это вскоре закроют.

— Слушай, я бы пошла на похороны и с работы отпросилась бы, но мне к нотариусу надо!

— Так это же совсем близко! — сказал Толик, взглянув на письмо. — Я тебя туда отвезу, не два часа же ты там сидеть будешь, так что всюду успеем.

Лена со злостью взглянула на свою машину и согласилась.

По дороге она позвонила в автосервис и сказала, что машина опять сломалась. Неудобно было ругаться при Толике, так что, когда там заартачились и стали отнекиваться, Лена твердым голосом приказала немедленно забрать машину от ее дома и разобраться. В противном случае она сможет устроить сервису большие неприятности.

Как видно, разговаривал с ней человек, который разбирался в интонациях. Если бы Лена орала и визжала, он бы не реагировал — ну выпустит дамочка пар, да и успокоится. Но тут Лена говорила серьезно, и вполне может быть, что она — жена или любовница какого-то влиятельного человека, который и правда может устроить большие неприятности. Поэтому Лену заверили, что мастера пришлют, как только — так сразу.

Как уже было сказано, нотариальная контора располагалась неподалеку от Лениного дома, в первом этаже запущенного пятиэтажного дома, давно нуждающегося в ремонте — если не капитальном, то хотя бы косметическом. Дверь подъезда была неплотно прикрыта — кто-то подложил под нее щепку, чтобы она не закрывалась до конца. На скамье рядом с этой дверью сидела компания подростков, потягивая пиво из банок, матерясь и враждебно поглядывая по сторонам.

И еще рядом с этой дверью висела табличка, точнее, отпечатанный на принтере и вставленный в металлическую рамочку листок с именем нотариуса и временем работы.

— Подожди меня в машине, — обратилась Лена к Толику. — Я недолго.

— Нет уж, провожу тебя до самого кабинета! — возразил тот. — Больно уж тут место шпанистое.

— Что я, ребенок? — фыркнула Лена.

Она выбралась из машины и пошла к подъезду. Тут же от компании подростков отделился один — здоровенный прыщавый парень, явный альфа-самец здешней популяции. Он заступил Лене дорогу и проговорил наглым ломающимся голосом:

— Проход платный! Гони тысячу рублей или поцелуйчик!

Лена увидела совсем близко его нездоровую кожу, пылающие прыщи и наглые пустые глаза. Ее замутило.

— Пошел вон, щенок! — прошипела она.

— Вот ты как? Тогда цена увеличивается!

Тут на дверь перед ней упала огромная тень, и за ее спиной раздался мрачный голос Толика:

— Я тебя щас так поцелую, что по кусочкам собирать придется!

Наглого парня и всю его компанию как ветром сдуло — Толик со своими внушительными габаритами производил на неподготовленных людей сильное впечатление.

— Я тебя все-таки провожу, — проговорил он и как истинный джентльмен открыл перед Леной дверь подъезда.

— Ладно, — смирилась Лена. — Только подожди меня в приемной, не лезь в кабинет.

— Больно надо.

На площадку первого этажа выходили две двери. На одной из них был прикреплен такой же листок в рамке, как на подъезде. Лена прочитала: «Нотариус М. В. Бунчаков». Наверное, Михаил Васильевич или Владимирович...

Они вошли в приемную — большую полупустую комнату, где за обшарпанным письменным столом сидела мрачная женщина лет пятидесяти с короткой стрижкой. На столе перед ней был стандартный набор — ксерокс, компьютер с принтером и телефон. Судя по всему, это была секретарь нотариуса.

При виде Лены и Толика секретарша подобралась, отчетливо щелкнула зубами и неприязненно проговорила:

— Нотариус принимает только по предварительной записи. Вы записаны?

В приемной не было никого, кроме секретарши, так что вряд ли у этого нотариуса слишком много клиентов.

— Но он меня просил прийти, — проговорила Лена. — Моя фамилия Дроздова.

— Ах, вы Елена Павловна! — Лицо секретарши моментально переменилось, теперь оно выражало предельную доброжелательность, граничащую с подобострастием, хотя эта доброжелательность выглядела до отвращения слащавой и фальшивой.

Она сняла трубку с телефона и, не набирая номера, вполголоса проговорила:

— Модест Витальевич, к вам Елена Павловна Дроздова!

Лена отметила, что ошиблась с именем-отчеством нотариуса.

Выслушав ответ, секретарша с тем же слащавым выражением проговорила:

— Проходите, Елена Павловна! Нотариус вас примет. А вы, молодой человек, обождите здесь, в кабинет вам нельзя.

Толик пожал плечами.

Он в принципе и не собирался заходить в кабинет нотариуса, но запрет и особенно его строгая форма произвели на него неприятное впечатление.

Лена толкнула следующую дверь и вошла в кабинет.

Он, как и приемная, был полупустым и каким-то неуютным. В углу бубнил телевизор с приглушенным звуком. За письменным столом сидел мужчина в темном костюме в узкую полоску, с темными прилизанными волосами и узкой щеточкой усиков.

— Елена Павловна! — проговорил он с такой же фальшивой приветливостью, как его секретарша. — Спасибо, что нашли время... уделили, так сказать...

Лене нотариус определенно не понравился. В нем все было фальшивым — от улыбки до явно крашеных волос, не говоря уже о глазах, взгляд которых было невозможно перехватить.

— Присаживайтесь! — Нотариус показал гостье на стул.

Опустившись на него, девушка проговорила:

— Так для чего вы меня пригласили?

— Дело в том... — нотариус выдвинул ящик своего стола и достал из него стопку документов, — дело в том, что я занимаюсь завещанием Пелагеи Филипповны Сундуковой.

— В жизни о такой не слышала! — заявила Лена.

— Разумеется, разумеется! — нотариус кивал, одновременно тасуя документы на своем столе, как шулер тасует карты. — Разумеется, не слышали! Сейчас я вам все объясню... дело в том, что Пелагея Филипповна в девичестве носила фамилию Дроздова.

— Мало ли на свете Дроздовых? Во всяком случае, Пелагеи Филипповны среди моих родственников нет и никогда не было. Я вам точно говорю.

— Не было, не было! — согласился с ней нотариус и поднял обе руки, как будто сдаваясь под неопровержимым грузом доказательств. — Конечно, не было!

— Так чего вы хотите от меня?

— Сейчас я вам все объясню.

— Да уж, постарайтесь, пожалуйста!

— Пелагея Филипповна недавно скончалась, а перед кончиной она составила завещание, согласно которому оставила принадлежащий ей на правах собственности садовый участок в поселке Тараканово своей внучатой племяннице Елене Павловне Дроздовой.

— Чушь какая! — фыркнула Лена. — Не было у меня такой тетки! Говорю же вам!

— Вы правы, вы правы! — Нотариус снова поднял руки. — Эта племянница не имеет к вам никакого отношения. Больше того, теперь она даже не Дроздова, она вышла замуж и поменяла фамилию, так что теперь она Елена Павловна Ципрус.

— Вы меня совсем запутали! При чем здесь я? Чего вы от меня-то хотите?

— Сейчас я вам все объясню... значит, племянница поменяла фамилию, и это еще больше запутывает все дело. Теперь Елена Павловна Ципрус не может получить наследство своей тети... точнее, двоюродной бабушки... на которое она, между нами говоря, очень рассчитывает.

— И все равно не понимаю, при чем тут я! Я в жизни не видела этих людей и даже не слышала о них!

— При том, что вы — Елена Павловна Дроздова, больше того, случилось так, что у вас с вашей тезкой совпадает дата рождения, так что теперь возникают законные сомнения — кому же покойная оставила свой садовый участок.

— Бред какой-то!

— Вот именно — бред! — охотно согласился нотариус. — Бред, но юридически очень сложный. И теперь нужно, чтобы вы подписали отказ от наследства, чтобы его могла получить та, другая Елена Павловна, которая тоже была Дроздова, но теперь стала Ципрус.

Нотариус непрерывно сыпал словами, и эти слова опутывали Лену, как липкие нити паутины. Да и сам нотариус был похож на паука — огромного жирного паука, который сидит в углу своей паутины, карауля зазевавшуюся легкомысленную муху.

Одновременно со своим бесконечным монологом он перебирал бумаги и наконец пододвинул их к Лене:

— Вы должны подписать здесь, здесь и еще здесь.

Он тыкал ручкой с золотым пером в строчки документа и уже вкладывал эту ручку в Ленину руку.

Лена готова была подписать что угодно, лишь бы больше не слышать этот назойливый голос, зудящий, как комар в ночи, лишь бы не видеть этого крашеного паука, лишь бы уйти из этого затхлого кабинета на свежий воздух.

Она уже взяла ручку — но вспомнила, чему учили ее старшие коллеги на работе, — никогда не подписывать документ, сперва его не прочтя, — и попыталась сосредоточиться на содержании бумаг, которые подсовывал ей нотариус.

— Помни, Дроздова, — зудел шеф, — ни одной бумажки нельзя пропустить! Хоть полслова на ней написано, а прочесть надо внимательно и сорок раз подумать, стоит это подписывать или не надо. Лучше не подписывать, если торопишься или сомнения есть. А то подмахнешь так, не глядя, фирму в такое болото затянешь! Бывали у меня случаи, один раз на два миллиона наказали, я чуть инфаркт не получил.

Лена как будто воочию услышала голос шефа и внимательно посмотрела на документ.

Я... Дроздова Елена Павловна... отказываюсь от всяких имущественных прав...

Она перевела взгляд на следующую строчку, но нотариус уже перетасовал документы, и на столе перед Леной лежала совсем другая бумага.

— Да подождите же, дайте мне прочитать!

— Конечно-конечно, читайте! — Но при этом нотариус умудрился уронить бумаги на пол и тут же выскочил из-за стола, чтобы снова их собрать.

Из телевизора по-прежнему доносилось унылое бормотание — шло какое-то ток-шоу. Но вдруг голоса прервались, и вместо них зазвучала песня — гипнотическая, завораживающая, та самая, которую Лена слышала в последние дни необычайно часто.

Степь... белая степь... зимняя степь...
Скачет по зимней степи
Белый как снег жеребенок...

Но на этот раз песня подействовала на Лену совсем по-другому. Она не погрузила ее в гипнотическое оцепенение, наоборот, зрение Лены удивительно обострилось, теперь она очень четко видела и этот кабинет, и ползающего по полу нотариуса, видела, что все это — фальшь, подделка, за которой скрыто что-то совсем другое, лживое и враждебное. Мужчина с прилизанными волосами только играл роль нотариуса, и даже комната всего лишь играла роль кабинета...

В самом деле, ну не вчера же она родилась, не из глухой деревни приехала! Что она — в кабинете нотариуса никогда не была? Нотариусы — люди не бедные, и доходы их напрямую зависят от клиентов. А какой уважающий себя клиент доверит этому нотариусу оформлять приличную сделку? Да у него же не кабинет, а сарай какой-то, ремонта не было уже лет двадцать!

Опять же секретарша — мрачная, хамоватая, вся насквозь фальшивая, стрижка слишком короткая, а костюм вроде бы деловой и не потертый, но помнит, надо думать, доперестроечные времена. А что — ткань такая, что не выгорает и не вытягивается.

Нотариус быстро взглянул на нее — и Лена прочла в этом взгляде подлый расчет.

А он тем временем собрал свои бумаги и снова сел за стол.

— Ну так что, Елена Павловна, вы подпишете этот отказ? — проговорил он и снова придвинул к ней листки.

И своим обострившимся зрением Лена увидела, что листки эти — совсем не те, что были вначале, что этот нотариус подменил их, пока ползал по полу.

— Подписывайте, подписывайте! — торопил ее нотариус. — Вы ведь не хотите, чтобы из-за вас другая девушка лишилась своей законной собственности? Между прочим, у нее маленький ребенок, которого она хотела бы вывезти на дачу, а тут как раз такой удобный случай... и если вы подпишете...

— Извините, но только я сначала хочу внимательно ознакомиться с документами.

— Конечно, конечно! — Нотариус снял трубку с телефона и проговорил в нее: — Юдифь Романовна, принесите нам, пожалуйста, кофе!

— Я не хочу кофе! — отрезала Лена.

— Не хотите кофе? Ну тогда чай. Черный или зеленый? А может быть, вы предпочитаете травяной?

Лена еще ничего не успела ответить, а дверь кабинета уже открылась, и на пороге появилась секретарша с двумя чашками на подносе и с приклеенной к губам фальшивой улыбкой. А за спиной у нее мелькнуло лицо Толика, на котором проступило удивление.

— Вот, Модест Витальевич, я принесла чай, раз Елена Павловна не пьет кофе!

Секретарша поставила поднос на стол и тут же вышла.

— Это очень хороший чай, мне один клиент привозит его прямо из Китая! — с гордостью сообщил нотариус.

— Я не хочу, — поморщилась Лена.

— Ну, вы хотя бы попробуйте! — настаивал нотариус. — Уверяю вас, вы такого никогда не пробовали!

Лена взяла чашку и поднесла ее к губам.

Чай издавал какой-то странный запах — то ли каких-то трав, то ли лесного озера.

— Извините, — проговорила она, делая вид, что собирается пригубить чай. — Не могли бы вы выключить звук телевизора? Он мне как-то действует на нервы.

— Конечно... — Нотариус снова выдвинул ящик стола и порылся там. — Пульт куда-то пропал...

Он встал из-за стола, подошел к телевизору.

Как только он оказался спиной к Лене, она поспешно выплеснула чай в корзину для бумаг.

Нотариус убрал звук и вернулся на свое место.

— Ну как чай? — осведомился он, увидев пустую чашку.

— Вы были правы! — Лена изобразила лицом и голосом восторг. — Никогда такого не пробовала!

— Ну я же говорил! — На этот раз на лице нотариуса проступило настоящее облегчение, без всякого притворства.

— Ну так что — вы подпишете эти документы? — спросил он, незаметно взглянув на часы. — Впрочем, можете не торопиться, прочтите все... это очень правильная привычка — не подписывать то, что внимательно не изучил!

Лена своим обострившимся зрением видела, что нотариус чего-то ждет.

Чего он ждет?

Что кто-то придет в его кабинет?

Нет, Лена поняла — фальшивый нотариус ждет, когда на нее подействует этот странный чай, точнее, то, что его секретарша в него подсыпала.

Лена зевнула, сделала вид, что у нее слипаются глаза.

Нотариус тут же привстал и проговорил мягким гипнотическим голосом:

— Подпишите этот документ... подпишите его в тех местах, где я вам покажу... подпишите... подпишите...

Лена послушно потянулась за ручкой, но вдруг оттолкнула ее и проговорила решительным голосом:

— Нет, я так не могу! Дайте мне эти бумаги с собой, я их дома внимательно изучу, а уже потом подпишу. Если в них нет никаких подводных камней.

Нотариус был явно потрясен ее внезапным преображением. Он заморгал, укоризненно посмотрел на пустую чашку, как будто она его очень подвела. Лена тем временем потянула к себе документы.

Нотариус опомнился.

— Нет! — вскрикнул он и выхватил бумаги у Лены. — Я не могу их вам дать! Это — единственный экземпляр, и я несу за него материальную ответственность!

— Что же, у вас нет копии? Это неразумно! Снимите сейчас, я видела у вашей секретарши ксерокс. Вам и самому понадобятся копии этих документов.

— Нет, я не имею права... — забормотал нотариус, пряча документы в ящик стола.

— А я ничего не подпишу, пока не прочитаю, — твердо ответила Лена.

— Ну как же так... — заныл нотариус. — Ведь вы тем самым очень подводите другого человека...

В это время у него в кармане зазвонил мобильный телефон.

Нотариус вытащил его, взглянул на дисплей, поднес к уху и заговорил вполголоса.

— Да... пока нет... да, я пытаюсь... ну может быть так... хорошо, я постараюсь...

Нотариус спрятал телефон и снова заговорил с Леной. Он бормотал что-то невразумительное, а сам снова исподтишка поглядывал на часы.

Лена поняла, что на этот раз он кого-то ждет.

— Извините, — произнесла она, вставая, — мне пора идти. Я опаздываю на похороны.

— На похороны? — переспросил нотариус с фальшивым сочувствием. — Примите мои самые искренние соболезнования... это кто-то из ваших родственников?

— Знакомая, — против воли ответила Лена.

— Тем не менее давайте все же закончим наше дело. Когда еще вы ко мне придете...

— Да хоть завтра. Но только в том случае, если вы дадите мне возможность ознакомиться с документами.

— Нет, до завтра мы ждать не можем! — Нотариус загородил ей дорогу. — Подождите немного,

скоро приедет ваша тезка, другая Елена Павловна, и она сама вам все объяснит.

— Да пропустите меня! — Лена повысила голос
и шагнула вперед, но нотариус стоял насмерть.

Тут открылась дверь кабинета, и на пороге появился Толик.

— Лена, мы опаздываем! — проговорил он своим внушительным голосом. — Нас ждут!

— Все, мы уже закончили! Правда, Модест
Витальевич? — ответила Лена, обходя нотариуса,
который застыл под впечатлением Толиных габаритов.

— Пра... правда... — пролепетал он, отступая
в сторону. — Но вы обещали еще раз зайти, чтобы
довести наше дело до конца. Нам его обязательно
нужно закончить.

— Всенепременно! — отчеканила Лена, проходя через приемную.

— Ты извини, — выдавил Толик, когда они
вышли на улицу. — Ты мне не велела туда заходить, но я сначала только заглянул и увидел его...
а когда увидел, понял, что надо тебя вызволять.

Лена слушала его вполуха, но его последние
слова заставили ее остановиться.

— Ты о ком? — спросила она Толика.

— Ну как о ком? О нотариусе этом.

— Ты что — знаешь его?

— Ну не то чтобы знаю, но видел один раз.
Только он тогда был не нотариус...

— А кто же?

— Таксист.

— Таксист? Какой таксист? Ты ничего не путаешь?

— Той ночью, когда мы тусовались у Кати... после того, как ты уже ушла, туда пришел мужик, сказал, что вызывали такси. Вроде как для тебя. Ему сказали, что ты ушла, и он жутко разозлился. Так вот, это был этот же самый мужик. Ну сегодняшний нотариус. — Толик не стал злиться на Ленину тупость и забывчивость, не рявкнул, что уже рассказывал про это, а терпеливо повторил.

— Ты ничего не путаешь? — удивленно спросила Лена. — Таксист и нотариус...

— Ничего я не путаю. У меня на лица память очень хорошая. Раз увижу человека — сразу запомню, никогда не забуду. Говорю тебе — это тот самый мужик, только тогда он был темно-русый, а теперь — брюнет. И усов у него не было.

— Точно, волосы у него крашеные... — задумчиво сказала Лена, — а усы, стало быть, приклеены.

— И чего ему от тебя надо было?

— Как-то все странно... — Лена машинально шла за Толиком, машинально села в его машину, — болтал про какое-то наследство, которое мне оставили якобы по ошибке, подсовывал какие-то бумаги, которые я должна подписать.

— Ты ничего не подписала? — забеспокоился Толик.

— Уж как-нибудь сообразила, — буркнула Лена.

Вот с чего это ей вздумалось откровенничать с этим шкафообразным Толиком? Ведь он ей никто, а уже возит на машине, интересуется ее делами. Нужно это прекратить. Вот сейчас съездят они на похороны, а после Лена с ним распрощается. Вежливо, но твердо.

— С этим нотариусом нужно обязательно разобраться, — сказал Толик, выруливая на проспект, — сейчас мы, конечно, торопимся, нам не до него, а потом...

— Я сказала, что завтра к нему зайду, но ноги моей больше там не будет!

— Это правильно, не завтра, а сегодня нужно к нему наведаться, — согласился Толик, и у Лены язык не повернулся бросить ему насмешливо, чтобы не командовал и не решал за нее. И не употреблял местоимение «мы». Нет никаких «нас», есть она, Лена, и он, Толик. И лучше бы его вообще не было.

Машина подпрыгнула на выбоине дороги, и в голове у Лены что-то щелкнуло. Точнее, не щелкнуло, а встало на место.

Вот с чего она так злится на этого Толика? Ведь он, в общем, не сделал ей ничего плохого, сегодня даже помог от этого фальшивого нотариуса уйти. И тогда, когда они с Катькой у нее на дне рождения чуть не разодрались, Толик их разнял. И если рассуждать здраво, то в последнее время вокруг Лены творится что-то странное и нехорошее. И вовсе не лишне иметь рядом этого здорового Толика.

Да, но тогда он еще вообразит себе невесть что. Нет, нужно с ним построже себя вести.

Они едва успели к началу прощания, уже стояла небольшая группа людей возле морга той самой больницы, где работала Катерина Супрунова. Некоторые были в больничной униформе, кто-то — в белом халате. Заняты люди, прибежали проститься с коллегой, да и снова на работу, больные ждать не будут.

Распоряжалась всем сухопарая тетка лет пятидесяти, вся в черном. Изредка разлепляя узкие губы, она отдавала команды тихим шипящим голосом. При тетке отирался неказистого вида немолодой мужичок, в котором Лена с удивлением узнала Катиного отца. Ну да, сколько лет прошло, а он все такой же, мало изменился.

Видела его раньше в школе, что-то он приходил чинить в классе. Училка у них все вздыхала — мол, пьющий, но руки золотые, все починить и наладить может.

Лена держалась в отдалении, вперед не лезла. Увидела она в небольшой толпе Валеру, на которого тетка в черном зыркнула сердито, на Толика же, наоборот, посмотрела если не приветливо, то спокойно.

Кто-то тронул Лену за плечо, она оглянулась и узнала Катину сменщицу... как же ее... Вера, кажется. Вера была не в больничном, а в сером плаще, и косыночка темненькая.

— Привет, — сказала Вера и дала Лене некоторые пояснения, хотя Лена и не спрашивала. Тетка в черном оказалась и правда Катиной родной теткой, сестрой отца.

Они с Катькой были в ссоре, потому что бабушка, умирая, оставила квартирку Кате, а тетке — шиш. Поэтому тетка с Катькой не разговаривали, а теперь вот все равно квартирка тетке достанется. Папаша-то алкаш тот еще, еще дочку не похоронили, а он уже в подпитии.

Набежали еще какие-то многочисленные родственники, которые обнимались с Катиным отцом, к тетке подойти робели, уж очень смотрела сурово.

Прощание закончилось быстро. Тот самый мужчина, который распекал в свое время слесаря Петушкова, произнес краткую речь, затем незаметно посмотрел на часы и ушел. За ним потянулись врачи и сестры. Родственники погрузились в автобус.

— Ты поедешь? — спросила Вера. Лена увидела, что Толик подсаживает в машину Валеру и еще какого-то парня.

Они явно решили ехать на кладбище. Лена представила, как она будет добираться отсюда до своей работы. Без машины это займет часа два, если не больше. При мысли о такси ей стало плохо.

— Поеду, — сказала она, подхватила Веру под руку и замахала Толику.

— Мы с вами!

По дороге Лена заметила, что Толик то и дело оглядывается. Она хотела спросить, в чем дело, но не желала разговаривать при посторонних. Тогда она сама завертела головой, и ей показалось, что за ними следует та самая нарядная дамская машина, хозяйка которой утром так любезно предложила Лену подвезти.

Вроде бы она самая... Но нет, Толик свернул на магистраль, и машина исчезла.

На кладбище тетка долго утрясала какие-то формальности, потом ждали батюшку. Лена взглянула на телефон и расстроилась — шеф звонил три раза. Ох, уволят ее с работы!

Она отошла в сторонку и позвонила Дашке.

— Слушай, ты куда подевалась? — заорала та.

— Молчи! — прошипела Лена. — Имен не называй! Что у вас там стряслось?

Дашка скороговоркой перечислила: на одном объекте рухнули перекрытия, хорошо, что никого не убило. Шеф сам поехал разбираться, говорили же строителям, чтобы укрепили, а они только отмахивались.

— На втором объекте Василий что-то напорол, а у Валентины машина сломалась. У тебя что?

Лена только хотела сказать про машину, но теперь получалось, что никак нельзя, шеф не поверит.

— У меня похороны! — брякнула она. — Подругу хороню!

— А раньше сказать не могла? — растерялась Дашка.

— Думала, они завтра будут, а получилось сегодня...

— Ладно, прикрою, — буркнула Дашка и отключилась.

Лена убрала телефон и увидела, что группа провожающих Катерину в последний путь наконец тронулась и Вера машет ей рукой. Шли долго наконец остановились перед вырытой пустой пока могилой. Священник начал отпевание, Катин папаша истово крестился, тетка застыла надгробным памятником.

— Что ты все оглядываешься? — тихонько спросила Лена Веру.

— Да вот показалось, что знакомую увидела, — неохотно ответила та, — то есть не то чтобы прямо знакомую, а одну такую из больницы... Вон там она!

Вдали за могилами мелькнула женская фигура.

— Да нет, показалось, — вздохнула Вера, — она с Катей и незнакома была, что ей тут делать?

Наконец все закончилось. Родственники шушукались, собираясь, надо думать, на поминки. Тетка смотрела волком, чтобы не проскочил кто-то лишний.

— Я и так бы не пошла, — прошептала Вера, — мне домой надо, свекровь обедом кормить.

— У нас тоже дела, — сказала Лена, — так что поторопимся.

Она сама не заметила, что употребила местоимение «мы».

Гречанка пробралась в дальний конец скифского лагеря, туда, где стояла кибитка матери Кемериса. Ночная суматоха уже распространилась почти по всему лагерю, но здесь еще царила тишина, только низкорослые скифские лошадки проснулись и переступали, тихо всхрапывая.

Гречанка огляделась по сторонам, не заметила ничего подозрительного и уже хотела подойти к кибитке своей хозяйки, как вдруг чья-то сильная рука обхватила ее за шею.

В ухо ее влился горячий шепот:

— Ты его достала?

Гречанка билась в сильных руках незнакомца, как рыба в сетях. Она ничего не отвечала, пытаясь понять, с кем имеет дело. Ее положение осложнялось тем, что одна рука была занята — она прижимала к груди ларец с драгоценным венцом.

— Можеш-шь не отвечать! — прошипел наконец незнакомец. — Я вижу, что ты его достала. Ты способная девочка! Теперь ты мне его отдаш-шь...

Гречанка пыталась вырваться, пыталась отбить у обладателя змеиного голоса свою добычу, она царапалась и кусалась, как дикая кошка, но силы были неравны.

— Как ты думаеш-шь, — прошипел незнакомец, отобрав у нее заветный ларец, — как думаеш-шь, почему я тебя не убил? Это было бы проще, куда прощ-ще!

— Я не знаю, — ответила гречанка, сверкнув глазами. — Ты — вавилонянин, а твои соотечественники лживы, как змеи, так что не стоит и пытаться отгадать твою загадку. И вообще, жизнь моя теперь не имеет смысла.

— Я не убил тебя, потому что ты мне нужна, и нужна живой. Сейчас пойдешь туда, куда шла, к матери царевича Кемериса, и скажешь ей вот что...

Несколько минут спустя закутанная в плащ темная фигура подкралась к кибитке и издала крик козодоя.

Полог кибитки приподнялся, и негромкий голос проговорил:

— Это ты, эллинка?

— Я, госпожа!

Гречанка скользнула внутрь кибитки.

Ожидавшая ее женщина внимательно оглядела ее и разочарованно проговорила:

— Я вижу, тебе не удалось его достать. Ты вовсе не так хороша, как я думала. Что ж, значит, тебе больше не доведется увидеть своего ребенка.

— Постой, госпожа! — Гречанка подняла глаза. — Я достала царский венец.

— Где же он?

— Я спрятала его в лагере, чтобы обойти часовых.

— Что ж, умно! Говори, где ты его спрятала. Утром я пошлю за ним кого-нибудь из своих слуг.

— Нет, госпожа, я ничего тебе не скажу.

— Что?! — Скифская царица обожгла гречанку взглядом. — Ты забываешься, рабыня! Ты, кажется, запамятовала, кто ты и кто я! Так я могу тебе напомнить...

— Нет, госпожа, я никогда не забываю, кто я и кто ты. Я всегда помню разницу между нами. Я нужна тебе, а ты мне — нет.

— Что? Неблагодарная, ты, кажется, забыла, что у меня твой ребенок, и если ты не исполнишь мой приказ, ты никогда больше его не увидишь!

— Нет, госпожа, я ничего не забыла. Ты напомнила мне, чем я отличаюсь от тебя, я напомню тебе, что между нами общего: мы с тобой обе матери. И мы готовы сделать все что угодно ради своих детей. Все, что в наших силах, и даже больше.

— Ну так отдай мне венец — отдай его ради своего ребенка, и тогда я прощу тебе твое своенравие и позволю снова его увидеть.

— Нет, госпожа, все будет не так. Я отдам тебе царский венец, но только в том случае, если ты поклянешься мне, что, получив его, ты сделаешь то, что я тебе скажу.

— Чего ты хочешь, неблагодарная?

— Начнем с того, чего хочешь ты, госпожа. Ты хочешь, чтобы твой сын вернул себе царский венец, а вместе с ним — царскую власть. Разве я не права?

— Да, я этого хочу! И это будет справедливо, потому что права моего сына неоспоримы.

— Не все так думают. На стороне твоего сына клан Волка и клан Росомахи. Клан Рыси колеблется.

— Он колеблется, пока у нас нет венца, как только венец станет нашим, Рысь станет на нашу сторону.

— Кто знает? А вот клан Медведя не на вашей стороне, и клан Буйвола, и клан Кабана, и клан Коршуна...

— Откуда ты все это знаешь?

— Не важно, откуда я это знаю. Важно, что это так. И важно, что я могу помочь тебе.

— Ты? — Скифская женщина презрительно взглянула на гречанку. — Чем можешь ты мне помочь, рабыня?

— Пусть я рабыня, но помощь тебе не помешает, госпожа. Я приведу к тебе человека, который даст тебе золото. Много золота. Все знают, что старый вождь клана Медведя любит золото. Ты заплатишь ему, и он перейдет на твою сторону. А следом за ним и остальные. Особенно когда они увидят царский венец.

— Чего же ты... или тот твой знакомый... чего же вы с ним хотите взамен?

— Скифские воины победили ассирийское войско. Ассирийцы вернулись в свои пределы. Тот человек, который послал меня, хочет, чтобы скифы последовали за ними и обрушили всю свою мощь на Ниневию, город львов, город крови.

— Ниневию? — удивленно переспросила царица. — Говорят, что Ниневия окружена мощными стенами. Говорят, никто не в силах преодолеть эти стены, никто не в силах победить защитников Ниневии.

— Много чего говорят. А еще говорят, что Ниневия — богатырь сильный, но ноги у того богатыря из глины. Стоит только толкнуть — и он обрушится. А еще говорят, что Ниневия богата, как ни один другой город, и что в сокровищнице ниневийского царя больше золота, чем песка в Аравийской пустыне. И тот, кто завоюет Ниневию, станет богаче всех владык вселенной.

— Богаче всех владык вселенной... — мечтательно повторила царица.

— Да, и еще — что все народы ненавидят Ниневию, потому что тяжелое ярмо возложила она на *своих соседей. Поэтому, если кто-то поднимет на Ниневию свой меч, многие пойдут за ним!*

— Что ж, я поговорю со своим сыном, когда он станет царем. Может быть, его заинтересуют твои слова. А пока — отдай мне царский венец, за которым я тебя посылала.

— Нет, госпожа, так не будет! Сначала ты поклянешься мне, что сделаешь все, о чем я тебе говорила, что убедишь своего сына обрушиться на Ниневию.

— Клянусь...

— Нет, ты поклянешься священной клятвой, клятвой своих предков, клятвой крови и железа!

— Что ты знаешь о священной клятве, рабыня?

— Пусть я рабыня, но я знаю достаточно. Я знаю, что ты не посмеешь нарушить эту клятву.

Царица посмотрела на гречанку долгим тяжелым взглядом, и рабыня выдержала этот взгляд. И ее ответный взгляд показал, что она не уступит, что отдаст царский венец только на своих условиях.

И скифская царица первой отвела глаза.

— Что ж, пусть будет по-твоему! — проговорила она и достала из складок своей одежды кинжал с золотой рукоятью. На этой рукояти бородатые воины скакали на приземистых мохнатых лошадях. Затем она достала из сундука золотую чашу, украшенную изображениями диких зверей — волков, рысей и кабанов.

Скифская царица вытянула вперед руку, и гречанка протянула свою руку к ней. Кинжал полоснул

*по одной руке и по другой, и кровь двух женщин за-
капала в золотую чашу, смешиваясь.*

*Когда в чаше набралось достаточно крови, ца-
рица поднесла чашу к пламени светильника. На по-
верхности крови появились пузырьки.*

*— Как кровь моя смешивается с твоей кровью, —
проговорила скифская женщина, — так мысли мои
смешиваются с твоими мыслями, надежды мои смешиваются с твоими надеждами. Тьма передо мной,
тьма за мной! Боги тьмы, боги света, боги бескрайней степи да будут свидетелями моей клятвы! Если
я нарушу эту клятву, да обрушится на меня гнев
этих богов! Да будет так!*

— Да будет так! — повторила за ней гречанка.

— А теперь принеси мне царский венец!

Дом, где располагалась нотариальная контора,
показался Лене еще более грязным. На ступеньках
не сидели подростки, вместо них там развалилась
огромная бездомная собаченция. При виде Лены
она чуть обнажила желтые клыки и зарычала.

— Слушай, ну дай пройти, мне нужно! — мирно сказала Лена и сделала шаг вперед.

Собаченция, однако, по-хорошему не понимала или же, как и давешние подростки, требо-
вала пропуск, только не деньгами, а натурой. Она
встала и зарычала более громко, тут подоспел Толик и пнул наглую собаченцию ногой. Несильно,
но в воздух поднялась туча пыли, как будто вы-
трясли половик. Псина поглядела на Толика и попятилась — ладно, мол, проходите уж.

На площадку первого этажа, как и прежде, выходило две двери, только возле той, где раньше была табличка с именем нотариуса, теперь не было ничего.

— Интересно... — пробормотал Толик и легонько дернул дверь. Она была заперта.

— Так я и думала, — вздохнула Лена, — идем отсюда.

Но Толик махнул рукой и прислушался.

Из квартиры доносилась пение. Женский хриплый голос старательно выводил:

— И кто его знает, чего он моргает...

Толик нажал на кнопку звонка. Слышно было, как за дверью раскатился звон. Пение прекратилось, потом послышались шаркающие осторожные шаги. Толик нажал на звонок так сильно, что тот полузадушенно вякнул и затих.

— Кто там? — раздался за дверью старушечий голос.

— Вам извещение на посылку! — крикнула Лена, повинуясь знаку Толика.

— Посылку? — обрадовался голос. — Ты, что ли, Маруся? Счас открываю, погоди!

Дверь открылась на цепочку, но Толик нажал мощным плечом, и цепочка тут же отлетела.

За дверью стояла худая старуха в поношенном спортивном костюме сиреневого цвета. В руке у нее была швабра.

— Это ты чего? — заорала она на Лену, взяв швабру наизготовку.

— Спокойно, бабка! — В дверном проеме появился Толик. — На вопросы ответишь — и мы уйдем.

Увидев Толика, старуха сразу поскучнела. Теснимая Толиком, она попятилась в большую комнату, которая еще утром была приемной нотариуса. Тогда она была пустой и грязноватой, были там только потертый канцелярский стол и громоздкий шкаф для бумаг. Еще где-то пряталась кофеварка.

Теперь же в комнате было множество каких-то узлов и коробок, а еще старый диван с деревянной спинкой и круглый стол на одной слоновьей ноге, причем нога была отдельно, а столешница — отдельно.

— Ты, бабка, тут что делаешь? — спросил Толик.

— Живу я здесь! — Старуха подбоченилась и смотрела уже не так испуганно. Видимо, родные стены ей помогали. — Законная моя жилплощадь, всю жизнь тут прожила!

— А нотариус... — начала было Лена.

— Не знаю никакого нотариуса, — глаза у старухи забегали, — не знаю ничего и не ведаю, какой такой нотариус.

— Бунчаков Модест Витальевич, здесь его контора была!

Толик отодвинул старуху и прошел в другую комнату, ту, что раньше выдавали за кабинет нотариуса. Еще утром там тоже было пустовато, даже занавески на окнах отсутствовали, теперь же небольшая комната была забита мебелью.

Половину комнаты занимала огромная кровать, спинки были с никелированными шишечками. Кровать была застелена старым, но чистым полотняным покрывалом, из-под которого высовывалась дорожка кружев домашнего плетения, и у Лены в голове всплыло забытое слово «подзор». Кажется, бабушка объясняла ей, что это такое.

На кровати громоздились три пышно взбитые подушки, как в сказке про трех медведей: одна большая — для папы Михаила Потапыча, другая, поменьше, для мамы Настасьи Петровны, а третья, сверху — самая маленькая, для медвежонка Мишутки. Подушки лежали уголком, как на картинке, и были накрыты кружевной накидкой.

Еще в комнате был платяной шкаф, и у Лены в голове опять всплыло забытое слово «гардероб». Шкаф был высокий, дубовый, на дверцах — резные деревянные накладки.

На шкафу Лена заметила какое-то движение. Мелькнула тень, потом показалась когтистая лапа, и вот уже виден весь кот — большой, черный и пушистый. Кот вольготно разлегся на шкафу и смотрел оттуда сверху с презрением.

Напротив шкафа располагался комод, накрытый опять-таки кружевной салфеткой. На комоде стояло зеркало и — Лена не поверила своим глазам — семь фарфоровых слонов. Слоны были расставлены по ранжиру, друг за другом, как будто шли на водопой. Впереди — самый маленький слоненок, дальше — больше, замыкал шествие самый большой.

Оглядев все это великолепие, Лена буквально разинула рот. Только что, всего несколько часов назад, здесь был полупустой кабинет нотариуса, а теперь...

Увидев ее растерянность, старуха приободрилась.

— Ну чего, чего вам тут надо? — закричала она. — Вперлись в квартиру обманом и хулиганите! А вот я сейчас участковому Михалычу позвоню, он тут неподалеку живет, он живо вас урезонит!

Надо сказать, что на Толика ее крики не произвели впечатления. Он мягко отодвинул Лену и протиснулся в комнату, отчего там стало тесно, как в телефонной будке.

— Значит, не знаешь никакого нотариуса, так? — весело спросил он старуху.

— Так, — осторожно кивнула она.

Толик сделал один небольшой шаг и оказался перед комодом. Он поглядел на себя в зеркало и взял в руки самого большого слона.

— Положь на место! — вскинулась старуха.

— Значит, никого в свою квартиру не пускала, никому жилплощадь не сдавала... — Толик взял в руки второго слона.

— Не тронь вещь! — закричала старуха. — Они к счастью, это еще бабки моей слоники!

— Кончилось твое счастье, бабка! — Толик как бы нечаянно выпустил слонов из рук.

Старуха взвыла раненой птицей. Слоны, однако, не разбились, Толик успел их подхватить. Лена мельком удивилась — вроде бы такой неуклюжий с виду и медлительный, а реакция хорошая, как у супермена из голливудского боевика.

Старуха, увидев своих слонов в целости, плюхнулась на кровать, потирая левую сторону груди. Кот на шкафу зашипел, как будто шваркнули кипятком на раскаленную плиту.

— Все скажу! — выдохнула она. — Все скажу, только ты, мил человек, отойди от них куда подальше! Ой, не в добрый час я согласилась, можно сказать, бес попутал! Жадность глаза застила, ведь знала же, что связываться с Юдькой нельзя. Скверная она баба, никому никогда от нее ничего хорошего не было.

— С Юдькой? — протянула Лена. — Это вы про Юдифь Романовну говорите?

— Да какая она Юдифь Романовна! — отмахнулась старуха. — В жизни ее так никто не называл!

— Подробнее, бабуля! — Толик покосился на слонов.

— Ну, значит, знаю я ее давно, работали раньше вместе в участковой поликлинике, я — уборщицей, а она в регистратуре с больными собачилась. Потом уволилась она, потому как жалоб много поступало, уж очень Юдька была с больными стервозна. Одного инвалида после разговора с ней прямо с инфарктом в больницу увезли, так и упал возле регистратуры. Ну тогда главврач и велел Юдьке увольняться. Сунулась в другое место, а там в регистратуре своих собак хватает. А характер у Юдьки сволочной, она не только с больными собачилась, а и всех в поликлинике достала, так что никто ей помогать с работой не спешил. Ну работала кое-где, я с ней связь потеряла, а тут третьего дня является прямо сюда и предлагает квартиру сдать на несколько дней. Я — как да зачем, не люблю чужих пускать, а она такие деньги предложила, что задумалась я. Тем более она говорит, что мебель всю надо вывезти, а они свою привезут.

— Кто это — они? — вклинилась Лена. — Вы спросили, для чего ей квартира нужна?

— Я-то спросила, да она не ответила. Тебе, говорит, баба Сима, деньги большие заплатят, так ты и молчи. Меньше, говорит, знаешь — крепче спишь. И как-то мне сомнительно стало, но деньги нужны, так что я и согласилась. Тем более мебель вывозить не надо, снесли в подвал, да и все. У нас подвал хороший, там раньше склад был, ну меня и пустили на несколько дней. А сегодня звонит Юдька — отбой, говорит, баба Сима, можешь обратно вселяться.

— А деньги отдала? — спросил Толик.

— Да в том-то и дело, что только половину! — возмутилась старуха. — Вот ужо разберусь здесь — поеду к ней. Так дела не делаются! Звонила — номер не отвечает.

— Адрес, бабуля, давай!

— Да пожалуйста! — Старуха порылась в ящике комода и выдала Толику засаленную бумажку. — Если застанете, то про мои денежки ей напомните!

Проходя назад мимо разобранного стола, Толик без всякого усилия поднял тяжеленную столешницу и водрузил ее на место.

— Ой, спасибо! — восхитилась баба Сима. — Ой, молодец! А то я голову ломаю, как этот стол собрать! Это еще бабки моей вещь...

— Припомню я ей ее хамство! — мстительно проговорила Лена, когда они подъезжали к дому, где, по словам старухи, проживала Юдифь Романовна. — Надо же, «нотариус принимает только по предварительной записи»! Как будто к нему очередь выстроилась! И чаек ее припомню... хорошо, что я не стала его пить!

Толик ничего не сказал — он молчал, мрачно уставившись на дорогу, словно его мучили недобрые предчувствия.

Наконец они нашли нужный дом.

Это был типовой девятиэтажный дом из тех, какие во множестве строили в семидесятые и восьмидесятые годы. Перед ним росло десятка полтора чахлых деревьев и катались по асфальтовой дорожке подростки на роликовых коньках и скейтбордах.

Толик нашел свободное место, припарковал машину. Они подошли к нужному подъезду.

На двери подъезда был установлен домофон. Толик потянулся к его кнопкам.

— Погоди! — остановила его Лена. — Нужно сначала придумать легенду.

— Какую еще легенду? Что мы — братья Гримм?

— Ты что собираешься прямо ей сказать — здрасте, Юдифь Романовна, мы к вам по поводу фальшивого нотариуса?

— Да нет, конечно! — Толик набрал на табло номер квартиры.

Из динамика донесся странный глуховатый голос:

— Кто?

— Курьерская доставка! — бодрым голосом проговорил Толик. — Заказное письмо!

— Заходите!

Замок щелкнул, дверь открылась.

— Видишь, как все просто! — Толик распахнул дверь и пропустил Лену в подъезд.

Подъезд был в лучших традициях — полутемный, грязный, в нем пахло вчерашними щами и кошками. И в довершение ко всему лифт не работал, так что пришлось подниматься пешком на седьмой этаж.

Остановившись у нужной двери, Толик перевел дыхание и надавил на кнопку звонка.

Громкая трель раскатилась за дверью, но никто им не открыл.

Толик выждал пару минут и еще раз позвонил.

— Странно! — проговорила Лена. — Она ведь только что ответила нам по домофону, так что не успела бы никуда уйти.

— Тем более она нас ждала!

— Может, потому и ушла? Может, мы ее спугнули? Все-таки нужно было продумать легенду.

— Ты смотри-ка — дверь не закрыта! — произнес Толик, почему-то понизив голос.

Действительно, только сейчас Лена заметила, что входная дверь квартиры немного приоткрыта.

— Странно... — протянула она.

Эта приоткрытая дверь вызывала у нее какое-то недоброе предчувствие.

— Да, может, она открыла нам дверь, а сама пошла, скажем, руки помыть! Ну приспичило человеку!

Лена хотела что-то возразить, но Толик решительно распахнул дверь и вошел в прихожую, так что ей ничего не оставалось, как послушно последовать за ним.

Прихожая была самая заурядная — небольшая, пыльная, тесная, справа от двери имелась вешалка с узким зеркалом и подставкой для обуви, под ногами — резиновый коврик с надписью Welcome. Откуда-то из дальней комнаты доносился приглушенный голос. Что-то в нем было ненатуральное.

— Юдифь Романовна! — крикнула Лена в глубину квартиры.

Никто ей не ответил.

Толик пожал плечами и пошел туда, откуда доносился голос.

Внушительные габариты и физическая сила приучили Толика ничего не бояться.

Лена рядом с ним тоже чувствовала себя увереннее и последовала за ним.

Они вошли в комнату, из которой доносился голос.

Это была гостиная — здесь имелся круглый стол, накрытый старомодной плюшевой скатертью, и «стенка» советских времен — пара застекленных шкафов и тумба для телевизора. Большая лакированная тумба, тоже советских времен.

Телевизор тоже имелся. Он был включен, и именно он оказался источником того самого ненатурального голоса, который услышали из коридора Лена с Толиком.

На экране был пожилой актер с галстуком-бабочкой, который фальшиво-жизнерадостным тоном декламировал:

— Смилуйся, государыня рыбка!
Опять моя старуха бунтует.
Уж не хочет быть она дворянкой,
Хочет быть она вольною царицей...

— Что за фигня? — протянул Толик, оглядываясь.

— Это не фигня, это Пушкин! — возразила Лена. — Сказка о рыбаке и рыбке.

— Да я не о том. Где эта чертова Юдифь? Дверь открыта, телевизор включен...

— Постой... — Лена невольно понизила голос и схватила Толю за руку. — Кстати, о телевизоре... что это перед ним на полу?

И правда, на полу перед телевизором были свалены грудой компакт-диски с названиями фильмов и сериалов.

— Непорядок! — проговорил Толик. — Эти диски должны лежать в тумбе.

— Именно! — поддержала его Лена. — Они там, наверное, и лежали, пока кто-то их оттуда не выбросил.

— Зачем?

— Чтобы освободить тумбу! А вот зачем ее понадобилось освобождать — не спрашивай меня!

Толик и не спрашивал. Он шагнул к тумбе и протянул руку, чтобы ее открыть. Ох уж эта его привычка сначала действовать, а уже потом думать! Не доведет она до добра!

— Постой! — выкрикнула Лена ему в спину. — Не надо!

— Почему? — недоуменно переспросил Толик и распахнул дверцы тумбы.

И всякие вопросы застыли у Лены на губах. Да и сама она застыла, как соляной столб.

Потому что в тумбе, неудобно скукожившись и неестественно подогнув ноги, лежала женщина.

Приглядевшись к ней, Лена поняла, что это не кто иной, как секретарша фальшивого нотариуса Юдифь Романовна. Ее некрасивая стрижка, ее неприязненно поджатые губы, и даже костюмчик восьмидесятых годов прошлого века тоже ее. И еще Лена поняла, что Юдифь Романовна безусловно и стопроцентно мертва.

Потому что живой человек не может лежать в такой неестественной позе. Да и вообще не может лежать в тумбе от телевизора.

Однако Лена, преодолев ужас, шагнула вперед и дотронулась до запястья неподвижной женщины.

— Не трогай! — окликнул ее Толик.

— Я пульс хотела проверить, — пролепетала Лена. — Вдруг она еще жива.

— Ну и как — проверила?

— Д-д-да... — Лена уставилась на свою собственную руку.

— И что пульс?

— Пульса нет... зато... зато... она вся в крови! Мама... — пролепетала Лена дрожащим голосом. — Мамочка...

— Мамочка твоя тут ни при чем! — не очень уверенно проговорил Толик. — Уходить надо. И чем скорее, тем лучше.

— Толя! — Лена схватила своего шкафообразного спутника за руку, прижалась к нему.

— Ну вот, то мама, то Толя, — проворчал он вроде бы недовольно, но не отстранился, наоборот, погладил Лену по голове, как испуганного, растерянного ребенка. — Да, — произнес он тихо, — не дождется баба Сима своих денег, не с кого получить будет.

Его надежность и сила немного успокоили Лену, но тут в голове у нее шевельнулась ужасная мысль.

— Толик! — прошептала она, покосившись на труп в тумбе. — Ведь она нам ответила по домофону... когда ты позвонил... значит, тогда она еще была жива...

— Ничего не значит! — возразил Толик. — Мне сразу показалось, что голос какой-то странный. Даже непонятно, мужской или женский. Так что это, наверное, была не она.

— Но тогда... — вскрикнула Лена и тут же зажала себе рот и закончила гораздо тише, — тогда это был тот, кто ее убил!

Толик ничего не ответил, и Лена огляделась по сторонам и добавила еще тише:

— И он, может быть, все еще здесь... ой, мамочка! — И Лена снова вцепилась в Толин локоть.

— Это вряд ли! — возразил ей Толик, тоже невольно понизив голос. — Не стал бы он нас дожидаться. Пока мы поднимались по лестнице, он десять раз мог отсюда уйти.

— Что же нам теперь делать?

— Я же сказал — уходить, и как можно скорее.

Лена метнулась к двери, но Толик ее остановил:

— Только сначала нужно стереть отпечатки пальцев со всего, к чему мы прикасались. И в первую очередь — смыть кровь с твоей руки. И с моего рукава.

Лена растерянно взглянула на руку, которой проверяла пульс убитой — рука и правда была в крови. И на рукаве Толика, за который она схватилась, тоже была кровь.

— Пойдем в ванную! — распорядился Толик.

— Ой, я больше не могу здесь оставаться! Мне кажется, он все еще где-то здесь прячется.

— Не болтай ерунды! Нельзя выходить на улицу в таком виде! — Он схватил Лену за плечо, втолкнул в ванную, пустил воду.

Лена принялась оттирать кровь под струей воды, но ей все казалось, что кровь не отходит.

Отчего-то в памяти всплыли какие-то строчки:

«Долго леди руки мыла,
Долго леди руки терла...»

— Хватит уже, все в порядке! — прикрикнул на нее Толик.

Сам он уже смыл кровь с рукава и протер носовым платком дверные ручки и остальные предметы, к которым они прикасались.

Наконец они вышли в прихожую.

Толик уже потянулся к дверной ручке, как вдруг в дверь квартиры позвонили.

Лена зажала рукой рот, чтобы не закричать, а второй привычно уже вцепилась в локоть Толика. Он сделал страшные глаза и прижал палец к губам. Лена закивала — мол, понимаю.

В дверь еще раз позвонили, затем немолодой голос с явственной одышкой громко проговорил:

— Юдифь Рома-ановна! Вы дома? Это я, Полина Полуэктовна! Из сорок второй квартиры! Мне лавровый лист нужен! Взялась суп варить, а лаврового листа нет!

После небольшой паузы, прерываемой шумным дыханием, тот же голос произнес чуть тише:

— Странно... видела же я в окно, как она домой шла... точно, видела. Может, не хочет открывать? Что ей, лаврового листа жалко? Я ее сколько раз выручала!

За дверью еще немного попыхтели, затем послышались удаляющиеся шаги, и наступила тишина.

Толик выждал полминуты, потом прошептал:

— Все, убегаем, пока еще кто-нибудь не пришел за корицей или мускатным орехом!

Он быстро открыл дверь, выглянул на площадку и поманил за собой Лену:

— Чисто! Бежим!

Они стремглав скатились по лестнице. Лена хотела продолжать бежать, чтобы оказаться как можно дальше от этого ужасного места, но Толик ее остановил:

— Иди медленно, не привлекай внимания! Можешь взять меня под руку, как будто мы прогуливаемся!

Лена хотела недовольно фыркнуть, но вспомнила труп в телевизионной тумбе, вспомнила Толино спокойное здравомыслие и послушно взяла его под руку.

Так они прошли несколько шагов, и вдруг Толик вполголоса проговорил:

— Чего от тебя хотел этот нотариус?

— Что?! — удивленно переспросила Лена.

Она уже забыла и липового нотариуса, и все приключения последних дней, перед ее глазами стояла только мертвая женщина, скорчившаяся в тумбе.

— Ну тот фальшивый нотариус, к которому мы ходили. Чего он от тебя хотел?

— Хотел, чтобы я подписала какие-то бумаги.

— Вспомни точнее — какие именно бумаги.

— Ну... он сказал, что это — отказ от какого-то чужого наследства. Вроде это наследство оставили другой девушке, которую зовут так же, как меня. И наследство-то какое-то ерундовое — дачный домик в садоводстве, наверняка развалюха.

— И он хотел заставить тебя подписать эти бумаги?

— Да, но только в процессе он уронил их на пол, а когда поднял, это были, по-моему, совсем другие бумаги, но он мне не дал толком их разглядеть. А я ему сказала, что ни за что ничего не подпишу, пока не прочитаю.

— Вот как... Это ты, конечно, правильно сказала, но какой вывод можно сделать?

— Какой?

— Ему очень нужно, чтобы ты что-то подписала, причем подписала, не читая. И это для него настолько важно, что он договорился с этой Юдифью, чтобы она ему подыграла, а потом ее убил, чтобы мы через нее на него не вышли.

— Ужас какой! Но я понятия не имею, в чем дело!

Толик промолчал, но Лена поняла, что он ей не верит.

Когда они оказались в машине, Лена почувствовала, что с нее хватит. По крайней мере, на сегодня.

Ну что за день такой ужасный! Сначала машина сломалась, потом — похороны, а затем и вовсе труп нашли. Как же ей все это надоело, как же она соскучилась по своей спокойной, размеренной жизни! И она еще сокрушалась, что никто никуда ее не зовет из-за Андрея! Да господи, как было хорошо раньше! Правильно говорят — не ценят люди своего счастья!

А теперь еще и на работе неприятности будут. Крути не крути, а получается, что сегодня день она прогуляла.

Лена взялась за телефон, чтобы позвонить Дашке, но мобильник зазвонил сам.

— Это Стас, мастер беспокоит! — прогудел знакомый бас.

— Стасик! — обрадовалась Лена. — Ну что там с машиной?

— Да ничего такого с ней нету, — обиженно ответил Стас, — нормально все с машиной вашей.

— Да? А почему тогда она не заводится? — рассердилась Лена.

— А потому, что какой-то козел, извиняюсь, в выхлопную трубу картофелину засунул! — высказался Стас. — Так что совершенно незачем было такой шум поднимать!

— Вот интересно, — по инерции завелась Лена, — что я, по-вашему, сама себе в трубу картошку сунула?

— Это уж я не знаю... — в голосе Стаса прозвучало некоторое ехидство, — ну ладно, я картошку вытащил, теперь поедет!

— Ой, спасибо, — спохватилась Лена и повернулась к Толику, — ты слышал?

— Слышал, — сказал он, — не нравится мне это.

— А мне-то как не нравится! — тяжело вздохнула Лена, набирая номер Дашки.

— Как раз тебе звоню! — приветствовала ее та. — Значит, звонил шеф, велел тебе срочно ехать на объект.

— Куда еще? — удивилась Лена. — Рабочий день кончается!

— Не знаю, он и так злой из-за перекрытий, там грозятся штрафные санкции выставить! А тут новый объект будем осваивать, так шеф велел, чтобы ты туда съездила и на месте посмотрела, что там нужно сделать. Навскидку пока.

— Ну, может, завтра? — заныла Лена. — Ведь пятый час уже...

— А он сказал, чтобы обязательно сегодня, там тебя ждать будут. А если, говорит, она не поедет, то пускай заявление об уходе пишет прямо с утра. Вот такие дела, уж извини. Записывай адрес.

— Вот черт! — Лена выключила телефон.

— Что еще случилось? — спросил Толик, и Лене послышалось в его голосе плохо скрытое раздражение — мол, вечно с этими бабами какие-то проблемы.

Вот интересно, она разве просила его за ней таскаться? Лена уже открыла рот, чтобы высказать этому типу все, что она думает, но вовремя прикусила язык, вспомнив про фальшивого нотариуса и про труп в телевизионной тумбе. Все-таки Толик ей помог. Да хоть морально поддержал.

— Куда едем? — напомнил о себе Толик.

— Слушай, тебе что, вообще никуда не надо? — спросила она, стараясь, чтобы голос не звучал очень уж скандально и раздраженно. — Ты вообще-то работаешь?

— Работаю, разумеется, — спокойно ответил Толик. — По ночам работаю, сегодня с десяти вечера заступаю.

Тут Лена сообразила, что он небось работает вышибалой в ночном клубе. А что, для него это самая подходящая работа — вышвыривать пьяниц и девиц обкуренных. Впрочем, Лену его работа совершенно не касается.

— Мне на объект надо, — сказала она помягче, — шеф велел, так что довези, если можешь до машины, а там уж я сама.

— Ну, — произнесла она, убедившись, что ее красная «Мазда» и правда на ходу и мотор работает как часы, — спасибо тебе, Толик, за все, но я уж поеду. А то шеф и правда уволит. Работа хорошая, потерять ее никак не могу.

И посмотрела выразительно — мол, это тебе не в дверях ночного клуба стоять, такой-то работы всегда навалом.

— Будь осторожна, — сказал напоследок Толик и уехал.

А у Лены осталось легкое чувство недовольства собой. Все-таки можно было бы проститься по-хорошему. С другой стороны, дашь повод, так он вообще не отстанет.

Она посмотрела на часы и решила забежать домой переодеться. С утра намылилась к нотариусу (будь он неладен совсем) и нарядилась в официальный костюм, а на объекте небось не слишком чисто, так попроще надо, хоть джинсы надеть. И умыться. Дом — вот он, так что она быстро обернется.

Она перебежала дорогу, обогнула дом и вошла во двор. Вот и ее подъезд.

И тут метнулась к ней неясная фигура с криком «Постой!».

Вместо того чтобы остановиться, Лена шарахнулась в сторону — хватит, ученая уже. И даже сумку подняла, чтобы двинуть этого типа по голове. Да так и остановилась с поднятой рукой.

— Лена, это я, — знакомым голосом сказал мужчина.

И Лена увидела, что перед ней стоит Андрей. Вот новость! И что ему тут надо?

Она не сумела совладать со своим лицом, и он все понял. В глазах у него мелькнула досада, он помотал головой, как бы стараясь избавиться от неприятной мысли, и заговорил:

— Лена, это я, извини, что тебя напугал, но мне нужно с тобой поговорить!

Лена набрала воздуху, чтобы ответить достойно, но тут заметила, что на скамейке у соседнего подъезда сидят две старухи и внимательно за ними наблюдают.

— Лена! — крикнула та, что выглядела монументально. — У тебя все в порядке?

Это они намекали на то, что случилось вчера, когда на нее напали двое громил — один рыжий, другой бритый наголо. Да, старухи тогда выступили неплохо.

— Нормально все! — крикнула Лена и помахала рукой. — Это знакомый мой.

— Знакомый — это хорошо. — Старуха помельче высунула голову из-за своей монументальной подруги.

— Давай уж в квартиру войдем! — сказал Андрей недовольно. — А то бабки эти...

Вот как, он собирается к ней в гости!

Это не важно, что его не приглашали, не важно, что он ушел от нее со скандалом, забрав свои вещи и не сказав ей ни слова на прощание. То есть наговорил-то он много всего, Лена ничего не забыла.

— Отчего ты не позвонил? — Она даже не попыталась открыть дверь подъезда.

— Так телефон...

Ах да, когда Лена поняла, что он занес ее номер в черный список, она сделала то же самое. Прошло два месяца, а теперь он является как ни в чем не бывало.

— Послушай, Андрей, — сказала она твердо, — думаю, что разговаривать нам не о чем, мы уже в прошлый раз все выяснили. Я, во всяком случае, все поняла, ты очень доходчиво объяснил.

— Я так и думал, что ты ничего не забыла! — произнес он недовольно, и Лена воззрилась на него в изумлении.

Чем он недоволен, хотелось бы знать. И что ему от нее нужно?

Тут открылась дверь подъезда и выпустила соседскую девчонку Милку с ее пуделем. Пудель был черный, большой королевский, как в сказке про Буратино, его и звали Артемоном.

— Привет, Лен! — крикнула Милка. — Как тебе прическа наша?

По весеннему времени пуделя подстригли, причем классически, с гривой и помпонами на лапах и хвосте.

— Хорош! — искренне сказала Лена. — Глаз не отвести!

Артемон тут же направился к ней, чтобы засвидетельствовать свое почтение, и по дороге ощутимо толкнул Андрея своей задней частью. Крепко задел, так что Андрей едва устоял на ногах.

— Осторожнее! — рявкнул он Милке. — Придержи свою собаку!

Милка посмотрела удивленно — никто в доме, да и вообще в их районе, никогда не сердился на Артемона, тот был ужасно обаятельный. Лена тоже взглянула на Андрея и увидела, до чего он неприятный. Смотрит прямо злобно, глаза от этого кажутся маленькими, и голос какой-то неестественно высокий.

Неудобно было перед Милкой, и Лена поскорее проскочила в подъезд. И, разумеется, Андрей устремился за ней, ну не драться же с ним, в самом деле.

Лена бегом поднялась по лестнице и только в прихожей дала себе волю.

— Слушай, ну зачем ты пришел? Вроде бы мы эту историю уже пережили, для чего все заново начинать? Или ты забыл что-то из вещей? Так я все барахло, что осталось, выбросила.

Глаза его сердито блеснули — вспомнил, как она кинула ему с балкона мешок с барахлом на голову. Не попала, конечно, но все равно противно.

— Я... мне нужно... нужно серьезно с тобой поговорить, — промямлил Андрей, отведя глаза. — Понимаешь... то, как мы расстались... это... это как-то неправильно.

Она видела, с каким трудом он выталкивает из себя слова, как будто они застревали у него в горле. Он отводил глаза, смотрел в пол, мямлил и тянул время. Как мальчишка, которого заставили извиняться за очередную шалость.

Вот именно, как будто его заставили. Лена видела это ясно, ведь они были знакомы больше года, и она хорошо его изучила. То есть, конечно, она не разглядела его гниловатого нутра, у нее и в мыслях не было, что он устроит дикий скандал и бросит ее при первом намеке на беременность. Все-таки почти год были вместе.

Лена поежилась, вспомнив безобразную сцену, что он устроил два месяца назад в этой самой квартире.

Но она хорошо знала все его привычки. Знала, что он терпеть не может всяких домашних животных. А от собак его прямо трясет, вот и заорал на безобидного Арти.

Лена знала, что он потирает кончик носа, когда не может что-то вспомнить, а также морщится и кусает губы, если ему очень не хочется что-то делать.

Вот именно сейчас он так себя и вел. Было такое впечатление, что он пришел к ней против воли.

— В чем дело? — холодно спросила она. — Ты можешь выражаться яснее? Не тянуть резину, не

мямлить, как двоечник у доски, не ныть и не ка-
нючить, как вокзальный попрошайка, а прямо
сказать, какого лешего тебе от меня нужно?

Теперь он удивился. Еще бы, раньше Лена никогда не позволяла себе так с ним разговаривать.
Они никогда не ругались, Лена всегда сдержива-
лась и уступала ему. Так, может, зря?

— Ну... — Андрей отважился посмотреть ей
в глаза, — я решил, что нам надо выяснить наши
отношения. Видишь ли, мы так нехорошо расстались. Я виноват перед тобой, я знаю.

Она быстро отвела взгляд, чтобы он ничего не
заметил. Потому что в его-то глазах не отража-
лось ничего. Она давно это заметила. Взгляд его
всегда был абсолютно пустой, свои эмоции он вы-
ражал по-другому. Вообще, Лена не верила в то,
что глаза — это зеркало души. Как и все расхожие
истины, эта не соответствует действительности.
Андрей хмурил брови, поджимал губы, втягивал
носом воздух по-особому. А вот у нее в глазах он
мог увидеть то, что она ему совершенно не верит.
Не за тем он пришел, чтобы просить у нее прощения. Не такой он человек. Значит, она нужна ему
для другого.

Вот именно, раз надо — значит, надо. Хочешь
не хочешь, а нужно идти и мириться с ней. Но
зачем?

Лена ощутила вдруг ужасно сильное жела-
ние спустить его с лестницы. Она просто воочию
увидела, как чья-то сильная рука хватает Андрея
за шкирку, как котенка, проносит через дверь,

затем — через лестничную площадку и бросает в пролет.

Нет, лучше на ступеньки, тогда будет видно, как он падает, кувыркаясь. А потом встает, весь в синяках, грозит ей кулаком в бессильной злобе и удаляется, прихрамывая и потирая больные места.

Да-а, чрезвычайно приятное видение. Но, как говорится, мечтать не вредно. Нет у Лены такой силы, чтобы спихнуть его с лестницы, все же он мужчина.

Он принял ее молчание за слабость. Мол, если не выгнала сразу, то дело пойдет.

— А мы так и будем стоять в прихожей? — спросил он недовольно. — Хоть на кухню меня пригласи.

Лена очнулась от невеселых мыслей и поглядела на часы. Время поджимало.

— Слушай, я никак не могу сейчас с тобой разговаривать, мне на работу надо!

— Да ладно, придумай что-нибудь получше! — отмахнулся он. — Рабочий день давно кончился!

— У меня он ненормированный, — огрызнулась Лена, — так что шел бы ты уже, мне переодеться надо и ехать.

— Что-о?

На миг проступило в нем прежнее превосходство. Он возмутился — как это она смеет с ним так разговаривать? Лена всегда старалась обращаться с ним ласково, по-хорошему. А по-плохому и вообще зачем встречаться?

Так, помнится, бабушка говорила. Есть, конечно, такие пары, говорила она, которые годами живут как кошка с собакой. Притерлись друг к другу, иной жизни и не мыслят. Но только неправильно это, потому что им-то вроде как и неплохо, а дети такое видят и сами потом такими же будут. Лена тогда от бабушкиных слов отмахивалась — мол, не тебе меня учить, а потом, как выросла, что-то отложилось.

И получается, что зря она так себя с Андреем вела, нужно было построже.

— Что ты сказала? — повторил он.

— Что слышал! — рявкнула Лена. — Некогда мне тут с тобой валандаться, дел полно!

— Ну хорошо, вижу, что сегодня у нас разговора не получится, — вздохнул он. — Я сейчас уйду, только можно водички попить, в горле пересохло.

— Сам возьми на кухне! — Лена умчалась в комнату и выскочила оттуда через пять минут в джинсах и скромной курточке. Андрей уже ждал ее в прихожей.

Выглядел он довольным, как человек, который освободился от очень муторного, неприятного дела. У Лены не было времени удивляться его поведению.

У подъезда он бросил ей «Пока!» и ушел, не оглядываясь. Лена только пожала плечами, взглянув ему вслед. Зачем он вообще приходил? Чего от нее хотел? Тут она охнула и устремилась к своей машине. Шеф шутить не любит, если она не выполнит задание, запросто турнет ее с работы.

Выруливая с улицы на проспект, Толик в зеркале заднего вида видел Лену. Она постояла немного у своей машины и свернула в собственный двор, видно, решила домой зайти. Судя по ее озабоченному виду, она сильно торопилась.

Толик притормозил на светофоре и еще раз взглянул назад. Никто за Леной не пошел, никто не пытался ее преследовать, на улице не было никаких подозрительных машин.

Все же на душе у него было неспокойно. Девчонка самонадеянная и легкомысленная, как все они. Вон Катька доигралась уже, где она теперь? Связалась с каким-то подозрительным типом, дура, ох, не тем будь помянута...

И не он ли ее и убил? Хотя вроде те двое идиотов признались, и все улики на них указывают. В общем, дело темное, вряд ли менты дальше разбираться станут. Они дело закрыли, чего же еще-то? Очередной «глухарь» им не нужен.

Толик сосредоточился на дороге, удачно миновал пробки и через двадцать минут припарковался возле здания, буквально увешанного вывесками. Он прошел внутрь, миновал длинный коридор, куда выходили двери различных офисов, свернул в боковой коридорчик и открыл дверь в его тупике. Возле этой двери была незаметная табличка «Фирма «Гриф». Электронное оборудование».

За дверью был офис — два письменных стола и стеклянные стенды с образцами продукции. За одним столом солидный клиент вел неторопливую беседу с девушкой в офисном костюме. За другим лохматый парень пялился в компьютер.

Кивнув девушке, Толик прошел в дверь за ее спиной. Комната была завалена всевозможной аппаратурой, с которой возились двое крепких парней, у одного из-под расстегнутой рубашки виднелась замысловатая татуировка.

— Здорово, Толян! — обрадовался он. — Что, опять с заказом?

— Не то чтобы заказ, но просьба, — вздохнул Толик. — Личная просьба.

Он прикрыл дверь и вполголоса изложил парням свою просьбу.

— Раз надо — сделаем! — ответил тот, с татуировкой, он был за старшего. — Ты гарантируешь, что неприятностей не будет?

— Не будет, — отмахнулся Толик. — Никто не заметит, к тому же это ненадолго.

Так получилось, что парни успели к дому Лены как раз после ухода ее и Андрея. Они проводили обоих взглядом, потом не спеша подошли к подъезду. На них была аккуратная униформа, в руках — чемоданчики с инструментами. При их профессии открыть электронный замок на двери не составило бы никакого труда, но тут они столкнулись с некоторым препятствием.

Та самая монументальная старуха, что сидела у соседнего подъезда, обладала, надо думать, орлиным взором. Она тут же идентифицировала парней, как людей незнакомых и подозрительных, и спросила в своей обычной манере:

— А это вы тут зачем? По какому вопросу?

— А это мы, бабуля, интернет скоростной тянуть будем! — охотно объяснил старший из парней.

— Это за деньги, что ли? — оживилась старуха.

— А как же! Знамо дело — не бесплатно! — обиделся даже парень. — Бесплатно сейчас и кошки не мяукают!

— А если вот мне, к примеру, не нужно? — не унималась старуха.

— Не нужно — значит, не нужно, тогда и денег с вас фирма не возьмет. У нас все исключительно добровольно.

Тут, к счастью, к двери подбежал пудель Артемон, за ним торопилась Милка. Этой было все по барабану, парни в рабочей форме ее не интересовали. Улыбнулась она, только когда младший из парней похвалил Артемона и потрепал его за уши, что общительный пудель принял весьма благосклонно.

Парни вошли вслед за Милкой в подъезд и поднялись на третий этаж, где остановились возле квартиры Лены.

Никто не вышел на площадку, поэтому они без помех установили над Лениной дверью крошечную камеру, а также устройство, которое подаст сигнал, если кто-то войдет в квартиру.

Толик вовсе не собирался за Леной следить, он просто хотел быть уверен, что она вернется домой в целости и сохранности.

Лена забила в навигатор адрес нового объекта — Каштановый проезд, дом четыре, — и поехала туда, куда ее вел приятный женский голос.

Через полчаса она поняла, что навигатор ведет ее на острова в дельте Невы, а еще через десять минут оказалась на Каменном острове, совсем недалеко от дачи банкира Майера.

По ее спине невольно пробежал озноб.

Она вспомнила заброшенную дачу, проигрыватель на полу пустой комнаты и ту странную песню, которую она услышала... ей даже показалось, что она снова слышит ту песню, ту странную, древнюю, завораживающую мелодию...

Однако навигатор привел ее к другому дому.

Судя по всему, это тоже была дача начала двадцатого века, но менее интересная в архитектурном отношении, зато гораздо лучше сохранившаяся и незаброшенная.

Двухэтажный особняк с колоннами перед входом был огорожен временным забором с раздвижными воротами. Над этими воротами виднелась камера видеонаблюдения.

Лена затормозила перед воротами и посигналила.

Камера повернулась в ее сторону, ворота открылись, и Лена въехала во двор.

Собственно, это был не двор, а ровный участок, заросший густой травой. От ворот вела к крыльцу усыпанная гравием дорожка. В конце этой дорожки стояла бирюзовая дамская машина. Лена где-то уже видела эту машину, но не могла вспомнить где. Ей мешала сосредоточиться странная мелодия, все еще звучавшая в ее голове.

Лена поставила свою машину рядом и поднялась на крыльцо.

В это самое время дверь особняка с негромким скрипом открылась, и на пороге появилась молодая стройная женщина в черных очках, с длинными рыжими волосами.

— Это вы от Игоря... Игоря Александровича? — осведомилась эта женщина.

— Да, я. — Лена протянула незнакомке удостоверение, но та светским жестом отмахнулась:

— Не надо, не надо... пойдемте со мной... я вам все покажу.

Женщина развернулась и пошла в глубь дома по узкому полутемному коридору.

Лицо рыжеволосой незнакомки тоже показалось Лене смутно знакомым. И голос, несомненно, этот голос Лена уже слышала. Она шла за незнакомкой, пытаясь вспомнить, кого та ей напоминает, и в то же время вслушивалась в слова своей провожатой:

— Понимаете, мы купили этот особняк для нашего благотворительного фонда, но потом его осмотрел специалист и сказал, что он долго не простоит, что ему требуется серьезный ремонт. Вот мы и обратились к Игорю... к Игорю Александровичу, чтобы он провел экспертизу, а если нужно — необходимые работы. Если необходимы какие-то работы, мы заключим с вами договор, но если здание не нуждается в ремонте, то можно и обойтись.

Она говорила безостановочно, и у Лены вдруг возникло ощущение, что рыжеволосая особа просто сыплет пустыми, ничего не значащими словами, чтобы от чего-то отвлечь ее, Лену. Но Лена так устала за сегодняшний день, что плохо воспринимала пустые слова. Они звучали в голове сплошным фоном.

Дойдя до конца коридора, женщина толкнула дверь и вошла в большую, светлую комнату. Сделав еще несколько шагов, она обернулась к Лене и проговорила:

— Ну вот мы и пришли.

И тут Лена заметила, что из-под рыжих волос выглянули другие — светло-русые.

— У вас парик сбился, — сказала она машинально.

И вдруг вспомнила, где и когда видела бирюзовую машину, припаркованную у крыльца. И почему ей показалась знакомой эта рыжеволосая красотка.

Это она ехала минувшим утром на бирюзовой машине, это она затормозила и предложила подвезти Лену, когда та поняла, что ее машина не заводится. Именно эта машина преследовала их с Толиком, когда они ехали на кладбище, и, похоже, эта девица пряталась на кладбище, где хоронили Катю.

— Узнала? — прошипела девица, криво улыбнувшись, — и вдруг выбросила вперед руку с розовым баллончиком и брызнула в лицо Лены резко и неприятно пахнущей жидкостью.

Лена закашлялась — и провалилась в затхлую, пульсирующую беспросветную темноту.

Какое-то время темнота была беззвучной, но потом в ней прозвучал смутно знакомый голос:

— Кажется, просыпается.

И вдруг кто-то резко и сильно ударил ее по щеке.

Лена охнула и открыла глаза.

Над ней стояли два человека — давешняя девица, только теперь она была не рыжая и не блондинка, а светло-русая и довольно коротко стриженная, и мужчина средних лет, с длинным лицом и начинающими седеть волосами.

— С добрым утром! — насмешливо проговорила женщина. — Выспалась?

— Что вам нужно? — произнесла Лена хриплым, чужим голосом и попыталась встать.

Однако это у нее не получилось.

Скосив глаза и прислушавшись к своим ощущениям, девушка поняла, что лежит на узкой жесткой койке или кушетке, к которой она привязана несколькими широкими ремнями. В помещении было очень жарко, так что ее лицо заливал пот.

— Что вам нужно? — повторила она. — Кто вы такие?

— Нам нужны не вопросы, а ответы, — отозвался мужчина.

Голос у него был глубокий и красивый, можно даже сказать, завораживающий.

— Какие еще ответы?

— Тот человек, который подвез тебя ночью, — что он тебе сказал? И самое главное, что он тебе передал?

— Какой человек? — по инерции спросила Лена.

У нее все смешалось в голове — фальшивый нотариус, его убитая помощница, двое бандитов, которые что-то от нее хотели, а попали в полицию, смерть Кати. Ах да, все началось с того, что она подсела ночью к странному водителю.

— Что он тебе сказал? — Девица подошла ближе и снова шлепнула Лену по щеке.

— Да ничего он не говорил! — ответила Лена раздраженно. — Посадил меня в машину, а потом куда-то пропал.

— Кажется, она не понимает всю серьезность своего положения, — со вздохом проговорил мужчина, обращаясь к своей помощнице. — Надо ей его прояснить.

Женщина зашла Лене за спину, и койка медленно покатилась, оказавшись не койкой, а больничной каталкой, на каких перевозят лежачих больных.

Лена удивленно и испуганно глядела по сторонам.

А по сторонам от нее стояли ряды аквариумов. Каждый из этих аквариумов был ярко подсвечен люминесцентными лампами. Воды в них не было, зато были какие-то ветки и сучки, между которыми тянулись серебристые нити паутины.

А еще в них были пауки.

Десятки, сотни пауков.

Маленькие и большие, черные и ярко-красные, мохнатые и гладкие, они неподвижно сидели в углу своей паутины или бегали по дну аквариума, быстро перебирая лапами.

Лену передернуло: она с детства не выносила пауков. Они вызывали у нее мистический, необъяснимый ужас. Когда она видела крошечного паучка, который плел свою тоненькую паутинку в углу, она казалась себе несчастной мухой, оказавшейся в липкой паутине.

Муха бьется, стараясь вырваться, но ничего не выходит, и вот силы уже покидают ее, и паук, приближаясь, парализует ее ядом. Она еще в сознании, но не может двинуться, и последнее, что она видит перед собой, — это дьявольскую усмешку злодея-паука.

Все пытались убедить ее, что пауки безвредны, безопасны, еще говорили, что увидеть паука — к письму, но Лена ничего не могла с собой поделать.

Однажды в пятом классе Вадик Пугачев принес в школу красивого паука. Тело паука было в цветных узорах, и учительница биологии сказала, что он безвредный, неядовитый. Все полюбовались на него, потом Вадик спрятал его в баночку. Лена тогда даже не подошла к столу биологички, где паук красовался целый урок.

А на следующем уроке полезла за чем-то в пенал, и на руку ей выскочил тот самый паук. Лена даже не закричала от ужаса, ей парализовало связки. Она смотрела, как паук выползает из пенала, и тут же рухнула головой на парту в глубоком оброке.

Паршивец Вадька клялся, что паук выполз из банки случайно, но математику у них вела завуч, которая сразу же просекла ситуацию. Под ее нажимом Вадька сознался, да он и сам испугался, когда увидел Лену с синими от ужаса губами.

Потом вызвали его мать, отца у Вадьки не было, воспитывали его мать с дедом. Дед придерживался старинных методов воспитания и выдрал Вадьку как сидорову козу. Паука дед спустил в унитаз, и если наказание Вадька принял стоически, то за паука затаил на Лену обиду.

— Удивительные создания, не правда ли? — раздался где-то рядом бархатный мужской голос. — Как они совершенны! Как целесообразны! Как прекрасно приспособлены природой для своей задачи! Ты спросишь, для какой задачи? Они рождены убивать! Пауки — прекрасные охотники. Кроме того, при таких маленьких размерах некоторые из них смертельно опасны!

Мужчина наклонился над Леной. В руке у него была прозрачная пластиковая коробочка, внутри которой неподвижно сидел маленький светло-коричневый паучок. Лена почувствовала, что в жаркой комнате ее бросило в холод.

— Посмотри на этого малыша! — проговорил мужчина с любовной интонацией, с какой родители говорят о своих детях. — Такой маленький — и такой опасный! Это паук-отшельник.

Он старается не встречаться с людьми, прячется в темных, труднодоступных местах, охотится на насекомых, но если его вытащить на свет, он обороняется и кусает, а его укус вызывает некроз тканей, ужасные, труднозаживающие раны, после которых на всю жизнь остаются глубокие шрамы.

Или вот этот... — В руке мужчины появилась другая коробочка, в ней был небольшой черный паук с тонкими ногами. — Это миссулена, или мышиный паук. Он назван так, потому что роет себе норы, как мышь. Тоже чрезвычайно ядовит! Его укус вызывает ужасную боль. А вот этот красавец — гигантский птицеед! — Теперь в руке мужчины была большая коробка, в которой перебирал мохнатыми лапами огромный черный паук размером с человеческую ладонь. — Он охотится на мелких птиц, грызунов и даже небольших змей. Его укус очень болезненный! Иногда от его укуса человек теряет сознание.

Лена с ужасом смотрела на огромного паука. Озноб прошел, теперь ей было так жарко, как будто она лежала на раскаленной плите.

Один только вид паука вызывал у нее судорогу ужаса, что же говорить о его прикосновении?

— А теперь перейдем к настоящим убийцам! — продолжил мужчина, и в его руке появилась новая коробочка. — Посмотри на этого красавца! Как он хорош!

В коробочке перебирал лапами небольшой черный паучок с красным пятном на спине.

— Он так и называется — красноспинный паук. Красив, не правда ли? Он относится к паукам-тенетникам, то есть к тем видам, которые ткут паутину и ловят в нее своих жертв. Но он выделяет очень сильный нейротоксин, который приводит к дыхательному параличу и остановке сердца.

Мужчина зачарованно смотрел на паука и шевелил пальцами, как будто подражал движениям его лап.

— Ну а вот об этой даме ты наверняка слышала...

Он снова поменял коробочку. В этой сидел небольшой черный паук с блестящей круглой головой и красным рисунком на спине, похожим на песочные часы. У паука были выпуклые темные глаза, и Лене показалось, что он смотрит прямо ей в душу.

— Это черная вдова, — проговорил мужчина с нежностью. — Ты ведь наверняка слышала о ней?

Лена ничего не ответила, но он и не нуждался в ее ответе, он наслаждался звуком собственного голоса.

— Черная вдова известна тем, что после спаривания самка пожирает своего супруга и, хе-хе, становится вдовой. Но еще она интересна тем, что выделяемый ее железами нервно-паралитический яд в несколько раз сильнее яда гремучей змеи.

Мужчина сделал небольшую паузу, чтобы Лена могла прочувствовать его слова, и снова заговорил:

— У меня есть еще много интересных экземпляров, например бразильский паук-бегун. Большой, красивый и смертельно опасный. Говорят, его яд — самый сильный. В Бразилии каждый год от его укуса погибают несколько человек. Есть у меня и каракурты — эти попроще, но яд у них очень опасный. Но мне кажется, ты видела уже достаточно. Главных звезд своей коллекции я тебе уже показал. Теперь нужно решить, с кем из них ты познакомишься вначале... думаю, нужно начать с чего-нибудь попроще...

— Прошу вас, не надо! — взмолилась Лена. Она с трудом смогла произнести эти слова, голос был не ее.

— Не надо? — Мужчина взглянул на нее с сожалением. — Было бы жаль лишить себя такого изысканного развлечения. Но если ты расскажешь мне все, что узнала той ночью, и отдашь то, что передал тебе тот человек, возможно, я пойду тебе навстречу.

— Но он мне ничего не давал! — воскликнула Лена. — Я говорю вам правду!

То есть она только пыталась кричать, на самом деле из ее горла вырвался слабый хрип, слова были еле слышны.

— Ну вот, ты снова за свое! — Мужчина заметно повеселел. — Что ж, значит, развлечение не отменяется! С кого же нам начать? Само собой, не с самых опасных экземпляров — эти тебя сразу убьют, а нам это не надо, правда? Это и лишит нас развлечения, да и проку от тебя не будет. Нет, пожалуй, для начала я выпущу на тебя несколько пауков-отшельников. Они давно сидят взаперти и стали очень агрессивны, так что сразу начнут кусаться. Вот и посмотрим, долго ли ты выдержишь, долго ли сможешь хранить свою маленькую тайну.

Садист снова достал прозрачную банку, в которой копошились несколько маленьких светло-коричневых паучков, склонился над Леной и взялся за крышку банки.

Лена еще только представила, как маленькие лапки прикасаются к ее коже, как пауки ползут по ней, как они ее кусают — и от ужаса у нее едва не остановилось сердце. Горло перехватил спазм, дыхание вырывалось из него тяжело, с мучительным хрипом.

— Нет... — прохрипела Лена из последних сил. — Не... на... до... я скажу... все... что вы хотите...

И она едва не задохнулась в приступе сухого раздирающего горло кашля.

— Ты только не помри раньше времени! — озабоченно проговорил мужчина.

Лена попыталась ему ответить, но любая попытка заговорить снова вызывала спазм и кашель.

— Да что с ней такое! — раздраженно процедил мужчина. — Кажется, она не прикидывается.

Он отставил банку с пауками подальше, и кашель стал меньше, но все равно Лена не могла вымолвить ни слова, у нее парализовало голосовые связки. Она только открывала рот, но вместо звуков оттуда вырывался лишь хрип.

— Черт знает что! — рассердился мужчина. — Вот что теперь с ней делать?

— Дайте ей листок бумаги и карандаш, — предложила его помощница, которая до сих пор молча наблюдала за происходящим.

— А это идея! — Мужчина куда-то вышел и вернулся с блокнотом и карандашом. Он отвязал один из ремней, освободив Ленину правую руку, и вложил в эту руку карандаш. Блокнот он подложил так, чтобы Лена могла в нем писать.

И она тут же написала корявыми, расползающимися, трудноразличимыми буквами:

«Чего вы хотите?»

— Я уже говорил тебе! — раздраженно процедил мужчина. — Тебя той ночью подвозил человек, который украл у меня очень ценную вещь. Ну, допустим, не у меня, но это не меняет дела. Когда мои люди нашли его, этой вещи при нем не было. Значит, он ее где-то спрятал или отдал тебе. Что ты об этом знаешь?

Лена сжала карандаш и нацарапала в блокноте:

«Спросите его».

— Умничаешь? — прошипел мужчина. — Хочешь ближе познакомиться с моими паучками? Я это сейчас устрою!

Тут подала голос его ассистентка. Она насмешливо проговорила:

— У того человека уже ничего не спросишь. Наши орлы его убили, ничего не добившись.

— А ты помалкивай! — огрызнулся на нее мужчина и снова склонился над Леной: — Что сказал тебе тот человек? Или он что-то тебе передал?

Лена написала в блокноте:

«Ничего».

— Не зли меня! — рявкнул садист.

Он взял себя в руки, успокоился и проговорил фальшиво-мягким голосом:

— Ладно, спросим по-другому. Может быть, ты сама что-то взяла в его машине?

Лена не сводила взгляда с банки с пауками. Она была готова на что угодно, лишь бы этот страшный человек не выпустил пауков.

Собравшись с силами, она написала:

«Куртку. Я надела его куртку».

— Куртку?! — Мужчина оживился, глаза его заблестели, как у паука, в чьи тенета попала крупная муха. — Ты в ней что-нибудь нашла?

«Нет», — нацарапала Лена. Она понимала, что в ее положении нельзя выкладывать все карты.

— Где эта куртка?

«У меня дома. Висит на вешалке в коридоре».

Она писала с трудом, буквы налезали одна на другую, но прочесть их было можно.

Мужчина схватил блокнот, пробежал последнюю надпись и повернулся к своей помощнице:

— Я сам съезжу к ней домой. Если хочешь, чтобы дело было сделано, — сделай его сам.

— Как скажете! — Женщина равнодушно пожала плечами. — Вы — шеф, вам и решать!

— А ты пока стереги ее! И смотри — никакой самодеятельности!

— Да зачем она вам? Убить — и дело с концом!

— Что ты несешь? Вдруг она соврала? Вдруг она сама не знает, что ей передал тот человек? Нет, она должна остаться живой, по крайней мере до моего возвращения!

— Как скажете!

— И смотри, чтобы она не сбежала!

— Не волнуйтесь, у меня не сбежит! Хотя я не надзирательница, а оперативный агент.

— Будешь делать то, что я прикажу!

Он отвернулся и пошел к выходу, но Лене было видно, какими глазами проводила его женщина. Он ей не доверяет, это ясно. Сам поехал за своей нужной вещью. Но Лена-то знает, что в той куртке он ничего не найдет.

Шеф вышел из комнаты. Ассистентка проводила его и вернулась к Лене.

Незадолго до рассвета на плоской вершине холма съехались несколько всадников, несколько знатных скифов. Посреди их небольшой группы сидел на коне молодой царь Арнабад.

— Я собрал вас, вожди, чтобы объявить вам свою волю! — проговорил Арнабад, оглядев собравшихся.

— Мы слушаем тебя, царь! — ответил за всех старый вождь клана Медведя.

— Завтра на рассвете мы покинем эту стоянку и пойдем на восток, туда, где восходит солнце. Мы нападем на кочевья киренитов, ударим по ним внезапно и сокрушительно, упадём на них, как ловчий сокол падает на трусливого зайца.

— Кирениты бедны, — возразил царю вождь клана Волка. — Что нам с победы над ними?

— Негоже думать только о прибыли! — поморщился Арнабад. — Когда-то давно кирениты оскорбили мою мать. Они выгнали ее из своего поселения. Ей пришлось скитаться по степи, питаясь случайными подаяниями. Сегодня пришло время отомстить за давние обиды. Кроме того, я — ваш царь, и такова моя воля.

— Да, ты — наш царь, — ответил вождь клана Волка. — Воля твоя священна. Но подумай, царь, не лучше ли будет двинуть наших коней на запад, в пределы Ассирии?

— Напасть на Ассирию? Но нам незнакомы те места, там нет привычной нам бескрайней степи, где мы пасем своих коней, ассирийские города укреплены мощными стенами, под которыми мы потеряем своих людей.

— Кого-то мы, конечно, потеряем, без этого не бывает войны. Но приобретем мы куда больше. Ниневия, столица ассирийцев, знаменита своими несметными сокровищами. Мы разрушим Ниневию, заберем ее богатства. Простые воины станут богаты, как знатные князья, мы, вожди, станем богаты, как цари, а ты, царь, станешь богат, как владыка мира!

— Если наши воины станут богаты, они уже не будут воинами! Богатство лишит их мужества! Они станут изнеженны и бессильны, как жители городов. Нет, я не хочу идти на Ниневию. Мы пойдем на восток. Я — ваш царь, и такова моя воля.

— Да, ты — наш царь. Ты получил в честном поединке золотой венец своего отца. Кстати, Арнабад, где этот венец? Коли уж ты — наш царь, возложи его на свою голову, и тогда никто из нас не посмеет оспорить твои слова.

Молодой царь настороженно молчал, переводя взгляд с одного вождя на другого.

— Так где же твой венец? — повторил вождь клана Волка. — Он в твоей седельной суме? Покажи его нам!

— Он в моей кибитке, — нехотя отозвался Арнабад.

— Так пошли за ним своего слугу! Пусть принесет венец! Ведь этот венец всегда приносил победу твоим предкам. Мы хотим увидеть его, чтобы увериться в правоте твоего решения.

Арнабад ничего не отвечал.

— Так, может, у тебя и нет царского венца? Но тогда разве ты можешь повелевать нами?

— Как ты смеешь сомневаться в моих словах, жалкий раб?! — воскликнул Арнабад и потянул свой меч из ножен. — Ты забыл, кто ты и кто я!

— Я не раб! — гордо ответил ему вождь. — Я вождь и сын вождей, мой отец и отец моего отца были воинами и вождями. И моя мать происходит из знатного скифского рода, в отличие от твоей матери. Так что это большой вопрос — кто из нас раб.

Арнабад побагровел от гнева, он выхватил меч из ножен.

В это время на холм медленно поднялся еще один всадник, голова и лицо которого были покрыты капюшоном.

Арнабад, который только что с ненавистью смотрел на вождя Волков, резко повернулся к таинственному всаднику и раздраженно проговорил:

— Кто ты и как посмел без позволения присоединиться к собранию вождей?

— У этого человека больше прав присутствовать здесь, чем у любого из нас, — ответил за незнакомца вождь Волков. — Больше прав, чем у тебя, Арнабад!

При этих словах одинокий всадник сбросил капюшон — и все вожди увидели обожженное, изуродованное шрамами лицо Кемериса.

А еще все увидели на его голове золотой венец. Венец его отца. Венец скифских царей.

— Вор! Мятежник! Самозванец! — выкрикнул Арнабад.

В это время из-за края горизонта поднялось солнце, и его первый луч коснулся венца на голове Кемериса. Золотой венец вспыхнул, словно увенчав царевича солнечным светом.

— Вожди! — вскрикнул Арнабад, затравленно оглядываясь по сторонам. — Вы присягали моему отцу... вы присягали мне...

Вожди ничего не отвечали. Они окружили Арнабада и извлекли свои мечи.

— Предатели! Изменники! И ты, старый Медведь, тоже предал меня? Разве ты забыл, как возил меня, ребенка, на своем седле?

— Твой отец был воин. Ты — его жалкое подобие.

— Я знаю, в чем дело! Это вавилонское золото вскружило вам головы! Это вавилонское золото сделало вас предателями!

Арнабад хотел еще что-то сказать, но старый вождь клана Медведя вонзил свой меч в его горло.

Через минуту все было кончено. Вожди переглянулись. Первым заговорил старый Медведь:

— Долгих лет тебе, царь наш Кемерис! Веди нас вперед, мы последуем за тобой, как следовали за твоим отцом. И помни сегодняшний день, помни, чьи мечи принесли тебе царскую власть.

— Я не забуду этого, — ответил Кемерис, и трудно было понять, чего больше в его голосе — благодарности или угрозы.

— А вы, вожди, не забудьте, — продолжил он, — что завтра на рассвете мы выступаем на запад. Ниневия — львиное логово, город крови, падет под нашими ударами, и всех нас ожидает богатая добыча!

— Да будет так! — хором воскликнули вожди.

— И пусть кто-нибудь уберет отсюда эту падаль, а то она уже привлекает стервятников! — Кемерис показал на окровавленное тело своего брата.

И правда, в небе над ними уже кружили грифы-падальщики.

Пока рядом никого не было, Лена успела спрятать под собой карандаш.

Где-то за стеной раздался негромкий звук отъезжающего автомобиля.

— Ну что ж, придется нам с тобой немного поскучать! — проговорила женщина, мрачно взглянув на Лену. — Только сначала свяжу тебя как следует, а то одна рука у тебя свободна, а это может навести тебя на глупые мысли.

Она наклонилась над Леной, взялась за ремень, чтобы снова привязать ее правую руку...

Сейчас или никогда!

Лена вытащила из-под своей спины карандаш и изо всей силы воткнула его в лицо своей надзирательницы. Целила она в глаз, но промахнулась, и карандаш воткнулся в щеку.

Женщина вскрикнула от боли и неожиданности, схватилась руками за раненое лицо, покачнулась...

Лена, не теряя ни секунды, схватилась свободной рукой за стальную полку, на которой стояли террариумы с пауками, и что было сил оттолкнулась от нее.

Каталка покатилась вперед, с разгона налетела на другой стеллаж, он закачался, и несколько террариумов рухнули на пол.

Лена снова оттолкнулась от стеллажа, каталка покатилась в другую сторону и налетела на надзирательницу, которая стояла посреди коридора, пытаясь выдернуть из окровавленной щеки карандаш.

Каталка ударила ее, женщина потеряла равновесие и упала на пол, усыпанный осколками разбитых террариумов.

По полу всюду ползали пауки — большие и маленькие, черные и почти прозрачные, мохнатые и гладкие. И многие из них заползли на лежащую женщину. Она дико завизжала, стряхивая их с себя и пытаясь подняться.

Лена не могла и не хотела на это смотреть.

Она снова, как могла, оттолкнулась от очередного стеллажа и поехала на своей каталке в дальний конец комнаты — подальше от террариумов с пауками.

Подкатив к двери, она выехала за нее и оказалась в полутемном коридоре.

Здесь было не так жарко, как в оранжерее.

Лена отдышалась и, с трудом развязав ремни свободной рукой, слезла с каталки, предварительно убедившись, что на полу поблизости нет пауков.

Впрочем, это временно: скоро они расползутся по всему дому, и от них нигде не будет спасения.

Из оранжереи доносились истошные крики надзирательницы. Вскоре они стихли.

Лена перевела дыхание.

Пока ей удалось вырваться из рук этих злодеев, но шеф с минуты на минуту может вернуться, так что нужно скорее уходить из этого страшного дома.

Она пошла по коридору, пытаясь найти выход, но у дома была странная, запутанная планировка, и когда Лена думала, что приближается к выходу — она оказалась в большой комнате с низким сводчатым потолком, посреди которой стоял старинный письменный стол на массивных ножках в форме львиных лап.

На столе лежали большие, пожелтевшие от времени листы ватмана, придавленные странной конструкцией из трех бронзовых линеек, соединенных пружинными шарнирами.

Лена мельком взглянула на желтоватые листы.

На верхнем из них была начерчена геометрическая фигура из двух сложенных треугольников, в углах которых были нарисованы тушью символы зодиакальных созвездий — Овен, Близнецы, Лев, Весы, Стрелец, Водолей.

Лена машинально отметила, что на схеме присутствуют только шесть из двенадцати традиционных созвездий, не говоря уже о менее известном созвездии Змееносца.

Но тут всякие посторонние мысли улетучились из ее головы, потому что из того коридора, по которому она только что прошла, донеслись приближающиеся шаги, а затем хриплый, нечеловеческий, полный ярости и страдания вопль.

Лена побледнела.

Какие еще монстры таятся в этом ужасном доме?

Она схватила со стола бронзовый инструмент — хоть какое-то орудие самообороны, попыталась сдвинуть с места стол, чтобы забаррикадировать дверь, но он был слишком тяжел, и Лена стремглав бросилась к противоположной двери.

К счастью, эта дверь не была заперта, как и остальные двери в доме. Лена выбежала в очередной коридор, пробежала по нему, торопливо пересекла несколько полутемных комнат и наконец через запасной выход выскочила из дома в сад.

На улице царила волшебная белая ночь, пропитанная запахами сирени и жасмина. Серебряные сумерки наполняли сад, и откуда-то издалека доносились едва слышные звуки музыки.

Трудно было поверить, что совсем недавно Лена была привязана к больничной каталке и законченный безумец угрожал ей ядовитыми пауками.

Лена глубоко вдохнула напоенный цветами ночной воздух и пошла вокруг дома к парадному крыльцу, возле которого она оставила свою машину.

Господи, подумала она, как недавно это было — а ей кажется, что прошло много времени, времени, наполненного безумием, ужасом и страданием!

Лена вышла к парадному крыльцу и тут сообразила, что у нее нет сумки, а значит — нет ключей от машины, так что она не сможет ее завести. Вернуться за сумкой в этот ужасный дом?..

Нет, об этом не может быть и речи! К тому же ключи у нее были на общей связке, а этот тип унес связку, чтобы попасть к ней в квартиру.

Она стояла в нерешительности и вдруг заметила за своей машиной какое-то движение.

А в следующую секунду из-за машины показалась страшная, уродливая фигура.

Приглядевшись к ней, Лена поняла, что это — та самая женщина, которая совсем недавно была гламурной блондинкой, которая предлагала подвезти ее на нарядной дамской машине. Женщина, которая каких-нибудь два часа назад встретила ее на крыльце этого дома, — уже с рыжими волосами, под видом заказчицы.

Женщина, которая помогала безумному любителю пауков мучить ее, выбивая из нее то, чего она не знала.

Теперь трудно было поверить, что совсем недавно это была красивая, элегантная молодая женщина.

Сейчас волосы ее были всклокочены, лицо распухло, на щеке темнела кровавая рана, оставленная карандашом, от которой тянулись дорожки крови, а все остальное лицо покрывали темные распухшие кровоподтеки — следы укусов ядовитых пауков.

Несколько пауков и сейчас ползали по ее лицу или вылезали из-за воротника.

Фигура бывшей красотки тоже неузнаваемо изменилась — ноги и руки распухли, от прежней стройности не осталось и следа, она двигалась неуверенно и неловко. Видно, пауки искусали ее всю.

Нелепая и страшная женщина издала хриплый, мучительный вопль — точно такой, какой Лена слышала в коридоре дома, вопль, полный страдания и ярости.

Лена попятилась, не в силах отвести взгляд от этого жалкого и ужасного зрелища.

Казалось, эта женщина движется из последних сил и не представляет реальной опасности, но в ее лице и фигуре было столько ненависти и угрозы, что Лена думала только о том, как убежать от нее как можно скорее, как можно дальше.

И тут лицо монстра перекосилось, рот открылся, и оттуда выполз еще один паук — большой, черный, с мохнатыми лапами.

Лена окаменела от ужаса.

А в руке чудовищной женщины оказался вдруг пистолет, она подняла его и выстрелила.

Искусанные руки тряслись, и пуля пролетела мимо, но Лена не смогла сбросить паралич ужаса, а продолжала стоять на месте, представляя из себя прекрасную мишень. Фигура, в которой не осталось уже ничего человеческого, которая была просто монстром из фильма ужасов, снова подняла руку и прицелилась. Лена поняла, что настал ее смертный час. Погибнуть вот так, от руки этого монстра, и чтобы пауки потом ползали по ее телу и кусали, кусали, кусали...

Нет! Лена взмахнула руками, как будто помогая себе сдвинуться с места, и тут прогремел второй выстрел, и она почувствовала, как руку обожгло, как будто на нее брызнуло раскаленное масло. Очень много масла...

Боль отрезвила Лену, вернула ее к реальности, она развернулась и бросилась прочь — напролом, через кусты, по цветникам, лишь бы подальше от этого безумия.

Очень скоро она добежала до забора, ограждавшего ужасный дом. К счастью, неподалеку обнаружилась калитка, закрытая изнутри на обычную щеколду.

Позади снова послышались приближающиеся шаги, а затем раздался прежний нечеловеческий вопль.

Лена дернула щеколду, выскочила через калитку — и оказалась в другом саду, не таком ухоженном. Она прорвалась сквозь разросшиеся кусты шиповника, исцарапав руки и лицо, пробежала по усыпанной гравием дорожке, оказалась возле еще одного забора, открыла еще одну калитку...

Снова кусты, снова дорожки, залитые лунным светом, снова запущенные цветники.

Преследования не было слышно, но Лена боялась остановиться, перед ее глазами стояло ужасное, окровавленное и опухшее лицо, и она бежала, бежала...

Лена чувствовала, что задыхается, что силы ее уходят, а левая раненая рука стала тяжелой и бесчувственной. Взглянув вниз, она увидела, что джинсы внизу тоже испачканы кровью, и за ней стелется дорожка из красных капель.

Лена собрала последние силы и снова побежала.

Пока не оказалась перед знакомым домом.

Круглый портал, покатая черепичная крыша, цветные стекла витражей... хотя стекол-то почти не осталось.

Дача банкира Майера.

Двое расторопных парней как раз успели закончить свою работу и уйти, как в машине их настиг сигнал, который оповещал, что кто-то входит в Ленину квартиру.

— Ну вот, хорошо, что не уехали, — проговорил старший, тот, что с татуировкой, — зря Толян волновался, вернулась его девчонка. Однако... — протянул он, глядя на монитор, — а это и не девчонка вовсе. Звони-ка Толяну.

Как договаривались, Толик был неподалеку, так что к фургончику без каких-либо надписей он успел быстро.

— Мужик к ней зашел, — рапортовал парень с татуировкой, — своими ключами дверь открыл. Может, хахаль ее?

— Нет у нее никакого хахаля, — хмуро сказал Толик, вспомнив рассказы Катьки. Вот уж была болтушка, все растрепала — и что хахаль бросил, и что всех друзей от нее отвадил, ох, не тем будь помянута...

— Своими, говоришь, ключами... — пробормотал Толик и замолчал надолго.

Не иначе, это тот тип, что представлялся нотариусом. Решил, видно, действовать прямо, только вот где он ключи достал?

— Из себя какой — невысокий, коренастый, немолодой, противный?

— Нет, высокий, лицо длинное, как говорится, лошадиное, одет прилично, вальяжный такой.

— Новое дело, — расстроился Толик, — это еще кто такой? Может, и правда родственник?

Все его естество протестовало против такого поворота событий. И вовсе не потому, что Лена ему нравилась, сразу понравилась, как только увидел ее у Катьки. Еще удивился тогда, что такая девушка делает с этими охламонами? Оказалось, Катька нарочно все подстроила, еще хвасталась, дура, как все ловко организовала.

Ну за то и получила, ох, нехорошо про покойницу так... Но Лена — девица самостоятельная, работа у нее серьезная, живет одна, сама себя содержит, так с чего ей какому-то мужику ключи давать от своей квартиры? Нет, нечисто дело...

Прошло минут сорок, парни смотрели уже с нетерпением — у них своей работы навалом, что тут-то попусту время тратить.

— О! — сказал тот, что помладше, глядя в монитор. — Выходит уже!

Мужчина выглядел недовольным. Он выскочил из подъезда, едва не сбив с ног подходившую женщину с сумкой на колесиках. Не извинился и пошел, пробормотав, надо думать, какое-то ругательство. Ошарашенная тетка только покачала головой.

— Злится, что дома ее не застал! — хмыкнул парень.

— Если дома не застал, то чего тогда в квартире так долго делал? — буркнул Толик. — Чай, что ли, пил? Ладно, парни, пожалуй, я за ним прослежу.

— Ты погоди! — встрепенулся старший из парней. — Пускай вон Серега сходит, а то ты приметный очень!

Серега уже тихонько выскользнул из фургончика и вернулся через пять минут.

— Вон внедорожник черный, видишь, выезжает? Так это он.

— Ну ладно, ребята, я пойду! — заторопился Толик. — Рассчитаемся потом.

— Уж это как водится. Обычное дело!

Мужчина во внедорожнике был зол, как тысяча чертей. Он делал над собой огромные усилия, чтобы не гнать машину, нарушая все правила движения.

Обманула! Эта девка провела его, как последнего лоха! Вот просто наврала ему в глаза! Ни черта не было в той куртке, которую она взяла из машины!

Он понял, что его обманули, когда не увидел в прихожей никакой куртки. Он перерыл всю квартиру — благо это было нетрудно, не квартира, а конура собачья, судя по размерам.

И нашел куртку в кладовке, только это ничего не дало. Он разорвал куртку в клочья и ничего там не нашел. Только крошки табака и грязный носовой платок. Обманула! Какая-то обычная девица, которая подсела к тому человеку совершенно случайно! Ну, ничего, он вытрясет из той девки правду. Ему помогут его любимые пауки. Он заметил, как она побледнела, увидев их.

Чтобы успокоиться и не вляпаться в аварию, он стал думать, что сделает с девицей.

Для начала он пустит на ее тело несколько пауков-отшельников. Кстати, надо будет ее раздеть, чтобы пауки не запутались в одежде и она лучше ощущала прикосновения их лапок. И укусы... ох, как же они кусают, когда голодны!

В ушах его уже звучали жуткие крики наглой девицы, посмевшей его обмануть. Ничего, голубушка, это еще только начало...

Потом можно будет познакомить ее с паукомптицеедом. Он такой огромный, от одного его вида она может потерять сознание, а уж от укуса-то точно отключится. Паука он заберет, а девицу приведет в чувство, не даст уйти от действительности надолго. А когда она очухается, можно напустить на нее каракуртов.

Хотя нет, лучше черную вдову, от ее укуса девица будет умирать медленно, ее парализует, но она останется в сознании и будет чувствовать себя как муха, которую паук готовит себе на обед. Или можно придумать что-то другое, у него много этих милых созданий, он их любит и умеет с ними обращаться. И не важно, если девица от ужаса вспомнит все, что ему нужно, и расскажет. Она все равно обречена. Он выяснит у нее все, что она знает, не может не знать, и тогда... тогда он получит то, что искал долгое время. О, он долго к этому шел, много лет!

Он многим пожертвовал, и многие из тех, кто ему помогал, уже мертвы. Что значат какие-то мелкие людишки по сравнению с его великой целью?

Вот и эта, последняя помощница. Конечно, она поумнее многих, и ловкая, опять же умеет перевоплощаться и добывать нужные сведения, но слишком уж высоко себя ценит. Решено, как только он получит сведения от девицы, он скормит своим паукам и ту и другую. Она ему будет больше не нужна.

Он с радостью увидел, что подъезжает уже к Каменному острову. Вот и то самое здание — Каштановый проезд, дом четыре. Он нажал кнопку, и ворота открылись.

Во дворе стояли две машины, его помощницы и той девицы. Вроде бы все тихо, как было. Но что-то мужчине не понравилось. Эта тишина, как будто дом необитаем. Эта странная тишина.

Двери были закрыты, и на крыльце ничего не валялось, но он чувствовал, что случилось что-то плохое. Черт бы побрал эту его помощницу! Сказала, что она не надзиратель, а оперативный агент! Ага, как же... Ну ничего никому нельзя поручить!

Он открыл дверь своим ключом, прошел по коридору к оранжерее, где стояли террариумы с пауками, и понял, что в доме не так. Не слышно было гудения генераторов. Общего электричества не хватало, чтобы обеспечивать необходимую температуру для пауков, опять же, могут быть перебои и аварии, губительные для его питомцев, так что он установил в доме электрические генераторы. И вот теперь они молчали.

Мужчина бегом преодолел оставшиеся метры коридора и распахнул дверь помещения, где стояли террариумы.

И ахнул, застыв на месте. Во-первых, в помещении было прохладно, но это бы еще полбеды, пауки выдержали бы недолгое понижение температуры. Но во-вторых... Мужчина ощутил самую настоящую физическую боль, когда увидел, что стало с его ненаглядными любимцами.

Половина террариумов была разбита, пол был усеян осколками, и в них ползали пауки. Их было мало, очевидно, остальные расползлись или же сдохли. Ну да, вон трупы.

— Я убью ее! — закричал мужчина, придя в неописуемую ярость. — Обеих убью!

Он перешагнул через кучу пауков, которые дрались и пожирали друг друга, и побежал в глубь оранжереи. Никого он там не нашел — ни привязанную к каталке пленницу, ни ту, что ее охраняла. Вот куда они обе подевались? И что вообще случилось?

Он выбежал из оранжереи и наткнулся на пустую каталку. Так, стало быть, пленнице удалось сбежать. И та, вторая, ее упустила, а хвалилась тут... Ничего, далеко они обе не ушли, машины на месте.

Он побежал к запасному выходу. Так и есть, дверь открыта. Но что это? На полу валялись трупы пауков. Значит, все правильно, они указывают ему след. Дальше след указывали сломанные кусты и помятая трава. Вот снова площадка перед домом, где стоят машины. И как это он сразу не заметил? За машиной девицы странные следы, как будто кто-то тяжелый шел, с трудом переставляя ноги. Грязная ладонь отпечаталась на капоте бирюзовой машины.

Мужчина наклонился и поднял с земли пистолет. Ага, она стреляла. Он быстро осмотрел место и увидел несколько капель крови. Затем чуть в стороне, еще и еще. Ага, как мальчик-с-пальчик следы оставляет, только не нарочно.

Он дошел до калитки, за ней капель крови не было видно, зато был пролом в кустах шиповника и сирени, как будто продиралось стадо динозавров. Так он прошел несколько участков и остановился возле старого запущенного дома. И возле крыльца увидел бесформенную груду тряпок, которая вблизи оказалась его помощницей. Он с трудом разглядел в этом распухшем теле знакомые черты. Кто же ее убил? Он наклонился и увидел, что по телу ползает множество пауков, они заползают под одежду и кусают, кусают... Вот паук побольше выполз из раскрытого рта.

— Кушайте, мои дорогие, — вздохнул мужчина и согнал со своего ботинка не в меру шустрого паучка, — а у меня, к сожалению, дела. Но я отомщу за вас, будьте уверены.

Лена оказалась возле дачи банкира Майера. Она вспомнила сторожа, которого встретила здесь прошлый раз, и подумала, что он наверняка на посту и у него можно попросить помощи. Да хотя бы телефон, чтобы вызвать такси и добраться до дома.

Господи, просто не верится...

Она направилась к крыльцу... и когда до него оставалось всего несколько шагов, кусты рядом с домом раздвинулись, и из них вышла ее преследовательница — еще более опухшая, покрытая страшными укусами и кровоподтеками, но все еще полная ненависти и угрозы.

Она что-то прохрипела распухшим ртом и бросилась к Лене.

Лена застыла от ужаса.

Когда ее отделяло от чудовища всего несколько шагов, она смогла сбросить с себя оцепенение и осознала, что все еще держит в правой руке старинный бронзовый инструмент, который подобрала в страшном доме, — три соединенные сложными шарнирами бронзовые линейки.

Лена подняла этот инструмент и ударила им свою жуткую преследовательницу.

Та отмахнулась от бронзового треугольника, как от назойливого насекомого, сделала еще один шаг вперед. Лена попятилась, споткнулась, потеряла равновесие и упала на спину. Страшная, обезображенная женщина шагнула вперед, наклонилась над ней...

Лена все еще держала перед собой бронзовый треугольник, как последнюю защиту от монстра.

Теперь жуткое, изуродованное укусами и измазанное кровью лицо было всего в нескольких сантиметрах от Лены. Она видела прямо перед собой страшные кровоподтеки, заплывшие, полные ненависти глаза, чувствовала на себе ее дыхание.

Женщина что-то прохрипела, протянула руку к Лениному горлу, при этом ее распухшая от укусов рука оказалась внутри бронзового треугольника.

И тут раздался громкий металлический щелчок. Бронзовые линейки, составляющие странный инструмент, сдвинулись, провернувшись на шарнирах, и сдавили руку Лениной преследовательницы, как волчий капкан.

Она издала прежний нечеловеческий вопль и без сознания упала на землю, откатившись в сторону от Лены. При этом бронзовый капкан снова щелкнул, приняв прежнюю форму, и оказался у Лены в руках, как возвращающийся бумеранг.

Лена, не теряя ни секунды, взбежала на крыльцо и что есть силы заколотила в двери.

Никто ей не ответил, но дверь дачи поддалась и с громким, ревматическим скрипом открылась.

Лена протиснулась внутрь, захлопнула за собой дверь и поспешно задвинула обнаружившийся на двери засов.

Она оказалась в темной, настороженной тишине.

Впрочем, тишина внутри этого дома не была полной — в ней то и дело раздавались какие-то нерешительные, вкрадчивые скрипы и шорохи, какие всегда звучат даже в безлюдном деревянном доме — скрип рассохшихся половиц, шорох сквозняка, топоток мышиных лап...

Да и темнота в этом доме была относительной — сквозь пыльное, местами разбитое окно с улицы вливался зыбкий, обманчивый, завораживающий свет белой ночи.

Странная, волнующая атмосфера этого дома пугала и настораживала, заставляла сердце биться часто и неровно.

Лена шагнула вперед и негромко, нерешительно позвала:

— Эй, есть здесь кто-нибудь?

Из дальнего конца холла ей ответило робкое стеснительное эхо — и больше никого.

Где же этот сторож? Куда он пропал именно тогда, когда так нужен? Заснул или покинул свое рабочее место?

Лена пошла вперед, и даже негромкий скрип половиц под собственными ногами пугал ее. Тем не менее она пересекла холл и оказалась перед высокой резной дверью, ведущей в таинственную глубину дома.

Дверь была неплотно закрыта, и из-под нее пробивалась узкая полоска голубоватого фантастического света. Лена осторожно толкнула эту дверь и оказалась в большой комнате с высоким потолком и большим, от пола до потолка, окном в сложном переплете, напоминающим окна готических соборов.

Должно быть, подумала Лена, когда-то в этой комнате был зимний сад, но растения давно погибли, оставив после себя только едва уловимый аромат.

Комнату заливал неожиданно яркий свет.

В первый момент Лене показалось, что это — свет горящего за окнами фонаря, но затем она поняла, что это не фонарь, а низко висящий прямо напротив окна огромный диск полной луны.

Лунный свет проникал в комнату через сложный, изящный переплет окна и заполнял ее, как густая, клейкая, странно фосфоресцирующая жидкость.

Лена сделала несколько нерешительных шагов, и ей показалось, что лунный свет обволакивает ее, что он затрудняет и замедляет ее движения, как будто это и впрямь густая тяжелая жидкость.

Как во сне, подумала Лена. Как во сне.

Она остановилась посреди комнаты и оглядела ее.

Лунный свет, вливающийся в огромное окно, падал на противоположную стену, повторяя на ней сложный рисунок оконного переплета.

Лена пригляделась к этому рисунку...

И вдруг поняла, что уже видела его. Видела совсем недавно, в том ужасном доме, где ее едва не убили, в том доме, из которого она с таким трудом убежала.

Спасаясь оттуда, она оказалась в комнате, где на старинном письменном столе лежали пожелтевшие от времени чертежи.

На верхнем листе ватмана была начерчена фигура из двух сложенных треугольников, в углах которых были нарисованы тушью символы зодиакальных созвездий.

И точно такую же фигуру нарисовал лунный свет на стене этой комнаты. Лена мысленно наложила тот чертеж на лунный рисунок, вспомнила, где были написаны названия шести созвездий — Овен, Близнецы, Лев, Весы, Стрелец, Водолей...

Она подошла к стене, чтобы ближе увидеть нанесенный на нее лунным светом рисунок. И тут, в странном и фантастическом свете луны, она различила на деревянных панелях, в углах лунного чертежа, едва видные значки — символы зодиакальных созвездий.

Те же самые символы, которые были нанесены на тот чертеж в доме паучьего дрессировщика.

Лена почувствовала странное волнение.

Она оказалась на пороге какой-то тайны, какой-то загадки...

У нее было множество проблем, она находилась в серьезной опасности, но тайна этого чертежа так взволновала ее, что Лена забыла обо всем остальном, в том числе и о раненой руке. Которая, кстати, не болела. И онемение уже было не такое сильное, так что Лена могла рукой тихонько двигать.

Она внимательно пригляделась к начертанным на стене символам. Кроме астрономических символов, там были написаны какие-то цифры.

Напротив символа созвездия Овна было начертано число 42, напротив символа Близнецов — 37, напротив Льва — 64 и напротив всех остальных символов тоже стояли двузначные числа.

А возле каждого из этих чисел, внимательно приглядевшись, Лена заметила крошечный кружок. Кружок, который обозначает символ градуса.

Вряд ли это обозначения температуры, градусы Цельсия или Фаренгейта. Наверняка это угловые градусы — те, которыми обозначают координаты на карте или в которых измеряют углы.

Лене по работе часто приходилось читать чертежи и измерять углы.

Она пожалела, что у нее нет с собой лазерного угломера, которым она обычно пользовалась.

Но тут она осознала, что все еще держит в руках старинный бронзовый треугольник, который так выручил ее несколько минут назад. При всей своей примитивности этот инструмент вполне подходил для измерения углов.

Она приложила одну из линеек, составляющих этот треугольник, к стене, так, чтобы ее нулевая отметка совпала с созвездием Овна. Повернув вторую линейку под углом 42 градуса, она процарапала валявшимся на полу гвоздем линию.

Затем она повторила ту же операцию, проведя линию под углом 37 градусов от знака созвездия Близнецов.

Когда она провела третью линию — от созвездия Льва — эта линия пересеклась с первыми двумя в той же точке, что и они между собой. Нанося на стену четвертую линию — от созвездия Весов — Лена уже почти не сомневалась, что окажется снова в той же точке — и она не ошиблась.

Она довела дело до конца, проведя две последние линии — от созвездий Стрельца и Водолея, — и они сошлись в той же самой точке.

Теперь на стене перед Леной был простой и изящный чертеж: два наложенных друг на друга треугольника, а внутри их — шесть линий, пересекающихся в одной точке.

Пока Лена создавала этот чертеж, диск луны немного сместился, и, приглядевшись к стене, девушка больше не увидела нанесенные на нее знаки зодиака и угловые размеры.

Она поняла, что ей удивительно повезло: эти знаки и цифры становятся видны только при конкретном освещении, так что, попади она в эту комнату на десять минут раньше или в другой день, в другую фазу луны, она не нашла бы их.

Так или иначе, она построила некий чертеж, но по-прежнему не понимала, какую тайну он скрывает.

Луна медленно поднималась, свет в комнате становился бледнее, чертеж на стене — менее заметным. Чтобы не потерять его, Лена приставила тот гвоздь, которым провела шесть линий, к центру их пересечения, и ударила по гвоздю своим незаменимым бронзовым треугольником. Она хотела забить гвоздь в стену, чтобы пометить точку пересечения линий, но результат превзошел ее ожидания.

Едва гвоздь немного утопился в стену, послышался громкий щелчок, и часть этой стены отъехала в сторону, как дверца купе.

За этой потайной дверцей был темный проем.

Лена шагнула внутрь — и, как только она вошла в потайную комнату, там зажегся свет.

Свет был неяркий, но его вполне хватило, чтобы осмотреться.

Лена оказалась в маленьком помещении, от силы пять-шесть квадратных метров. В этом помещении находился открытый стеллаж, на котором стояли несколько папок с бумагами, а также невысокая тумбочка из красного дерева с наклонной крышкой. Скорее это была даже не тумбочка, а что-то вроде церковного аналоя.

И на крышке этого аналоя, на пыльной подушке черного бархата, лежал золотой венец. Золотой обруч с красным камнем посредине. Обруч был покрыт сложными и красивыми узорами — переплетающиеся ветви деревьев и фантастические животные, а также кони, мохнатые приземистые лошади.

Лена ахнула.

Вот находка так находка!

Она протянула руку к золотому венцу, дотронулась до него и почувствовала исходящее от него тепло. Ей показалось, что она прикоснулась к живой и теплой человеческой руке. К руке друга.

Лена осторожно, бережно взяла венец и вдруг, под влиянием мгновенного порыва, надела его на голову.

В первый момент она испытала боль — как будто ее мозг пронзила золотая игла. Но эта боль тут же прошла, и Лена ощутила глубокий и чистый покой. У нее было чувство, как будто она вернулась домой. Не в свою одинокую квартиру, а в тот Дом, Дом с большой буквы, о котором в глубине души мечтает каждый человек.

Лена прикрыла глаза — и перед ее внутренним взором возникла бескрайняя заснеженная степь, и странный, волнующий и завораживающий голос негромко запел:

— Степь... белая степь... зимняя степь...
Скачет по зимней степи
Белый как снег жеребенок,
Белый как снег стригунок...

Лене хотелось как можно дольше слушать эту песню, как можно дольше хранить в душе то состояние глубокого покоя, которое принес ей золотой венец, но она вспомнила о своих проблемах и поняла, что пора выбираться из этого дома и возвращаться в свой дом, в свою квартиру, в свою жизнь.

Она с сожалением сняла венец и вышла из потайной комнаты, держа его в руке.

И как только она вышла из этой комнаты, свет в ней погас и дверь закрылась. Лена обернулась, но за ее спиной была ровная стена, на которой не было и намека на скрытый за ней тайник.

Лена вздохнула, шагнула вперед...

И вдруг услышала насмешливый голос:

— Ну что ж, совсем неплохо! Ты сделала за меня всю работу!

Кемерис поднялся на плоский холм и огляделся.

Позади него, на востоке от холма, кипело и волновалось человеческое море — бесчисленные степные всадники-скифы на своих низкорослых косматых конях, за ними — бесчисленные кибитки с их женами, с их детьми, с их поклажей.

Шумит, как море, скифский лагерь — предвкушают степняки богатую добычу. Хвастаются былыми подвигами, мечтают, как будут дарить сму-

глым степным женщинам ассирийские украшения с самоцветными камнями, тонкие ткани, не скрывающие женскую красоту, лакомства, достойные богов.

Справа, к северу от лагеря скифов, в ложбине между двумя холмами, притаилось войско вавилонян. Стройные ряды пехотинцев в кожаных доспехах, с тяжелыми квадратными щитами, с длинными копьями, в блестящих медных шлемах, грозные боевые колесницы, запряженные длинноногими каппадокийскими конями, на каждой колеснице — возница и два воина-копьеносца.

Не шумят вавилоняне. Тишина и порядок царят в их стане.

Кемерис подумал, что вавилонское войско красиво и послушно своим командирам, но малочисленно. И еще он подумал, что вавилоняне коварны. Не зря они заняли укромную позицию в ложбине — они не хотят до поры показываться ассирийцам.

Коварны вавилоняне и мстительны! Они подняли оружие на ассирийцев, на тех, с кем говорят на одном языке, на тех, с кем поклоняются одним богам. На своих братьев...

Кемерис вспомнил, как его собственный брат, мертвый, окровавленный, лежал в траве, как стервятники кружили над ним, чуя близкую поживу.

Не ему бы говорить о коварстве! Не отольется ли ему кровь брата еще большей кровью?

Скифский правитель отбросил неприятную мысль и повернулся на запад — туда, где лежала Ниневия, богатый и грозный город, чья тяжелая пята наступила на шею всех окрестных народов, чьи гордые цари именуют себя владыками мира.

Могучие стены окружают Ниневию, могучие воины обороняют ее бастионы!

Скифы не боятся никаких воинов, и ассирийцев побеждали они в чистом поле, в открытом бою — но им нечасто приходилось штурмовать стены городов, и никогда — стены такого могучего города, логова львов, Ниневии...

Восемь ворот у Ниневии, но крепки и надежны эти ворота, сколочены они из толстых дубовых бревен, обиты желтой медью. Семь ворот обычных, одни — речные, которые перегораживают могучее течение полноводного Тигра.

Каждые ворота сторожит отряд отборных воинов — и речные ворота тоже.

Неприступна Ниневия.

Можно, конечно, окружить ее, взять в кольцо и заставить покориться под угрозой голода и лишений. Но кто знает, сколько припасов заготовил ассирийский царь? Кто знает, насколько хватит терпения защитникам Ниневии?

Зато он, Кемерис, знает, что его воины, его соотечественники горячи и нетерпеливы. Если он не сумеет взять Ниневию штурмом, если начнется долгая осада — поднимется ропот в его войске, пойдут разговоры, что молодой царь неудачлив, что он обманул надежды воинов на скорую победу и богатую добычу.

А от таких разговоров недалеко и до мятежа.

Вожди кланов сговорятся за его спиной, как сговорились за спиной Арнабада.

На склоне холма появился незнакомый всадник.

Борода завита кольцами, выкрашена красной хной, кожаный панцирь богато разукрашен. Едет на высоком каппадокийском коне. Сразу видно — не скиф, вавилонянин.

Кемерис схватился за меч, но вавилонянин поднял руки, показал — нет в них оружия. Подъехал, остановился в нескольких шагах, почтительно поклонился.

— Кто ты? — спросил скиф.

— Я — Мардук, начальник вавилонских колесниц. Я — глаза и уши вавилонских правителей. Дозволь сказать, царь.

— Говори, если это не пустые слова.

— Стены Ниневии крепки, защитники ее мужественны. Город трудно взять приступом.

— Это я знаю и без тебя. Скажи мне что-нибудь такое, чего я еще не знаю.

— Восемь ворот у Ниневии. Семь обычных и одни речные ворота.

— Это знает каждый ребенок в моем войске. Скажи мне новое — или замолчи.

— В Ниневию нужно войти через речные ворота.

— Странные слова ты говоришь, вавилонянин! Мои скифы — не рыбы и не крокодилы, чтобы воевать в воде. Они — всадники, они сражаются верхом на своих конях. Или ты — колдун? Ты хочешь превратить меня в крокодила?

— Твоим воинам не придется сражаться в воде. Я сделаю так, что река уйдет из своего русла, русло обнажится, и скифские всадники по этому об-

нажившемуся руслу смогут ворваться в город, как волки врываются в овчарню!

— Ты и правда колдун, вавилонянин? Как ты заставишь реку уйти из своего русла?

— Хитры ассирийцы. Всю свою землю изрезали они каналами. Когда реки полноводны, по этим каналам отводят они воду в большие водоемы, когда начинается засуха — выпускают воду из водоемов и орошают свои поля. Я могу отвести реку в эти каналы. Тогда русло ее обнажится, и твои воины смогут ворваться в Ниневию, как стая волков в овчарню.

— Ты и правда великий колдун! Что ж, делай, как сказал, — и победа будет в наших руках!

— А ты будь готов. Как только вода в реке начнет убывать, пусть твои воины готовятся к атаке. Как только русло реки обнажится, пусть ворвутся в Ниневию, пока защитники города не поймут, что происходит, и не бросятся к речным воротам.

— Да будет так! — проговорил царь скифов Кемерис.

Вавилонянин уехал, а скиф снова взглянул на Ниневию.

Богатый и грозный город Ниневия, окруженный крепкими стенами, сильный своими воинами. Гордый город Ниневия, покоривший весь мир. Но никакой город не устоит, если в стенах его завелось предательство. Словно червь, подточит предательство стены города, и падет Ниневия к ногам врагов, как перезрелый плод.

Выстроились скифские всадники на берегу полноводной реки. Выстроились, как перед боем.

Воины глядят на своих сотников, сотники — на начальников отрядов, начальники отрядов — на вождей кланов, а те — на Кемериса.

А Кемерис глядит на реку, как будто ждет от нее какого-то сигнала.

— Чего мы ждем? — переговариваются между собой скифы. — Почему мы стоим на берегу реки вместо того, чтобы штурмовать стены или рубить ворота, или опустошать окрестности? Чего ждет молодой царь Кемерис? Видно, слушает молодой царь вавилонских магов, слушает коварных халдеев. Окрутили они нашего царя своей хитростью, обольстили своим колдовством...

Подъехал к Кемерису его родич, вождь клана Волка, спросил озабоченно:

— Чего ты ждешь, племянник? Зачем ты собрал все наше войско на берегу реки? Не лучше ли пойти на штурм? Не лучше ли попытаться разбить одни из ворот ниневийских?

Ничего не отвечает Кемерис, смотрит на воду.

Покачал головой его родич: похоже, что тронулся умом молодой царь. Нужно принять свои меры...

И тут вода в реке начала на глазах отступать от берега.

Там, где только что текли темные воды, показалось глинистое дно, и рыбы бьются на этом дне, плещут хвостами.

На глазах мелеет великий Тигр, словно какой-то великан пьет его воду. Отступает река, обнажа-

ется русло, как широкая дорога, ведущая прямиком в город, через речные ворота.

Заволновались скифы.

Выходит, знал молодой царь, что уйдет река, что предаст река Ниневию, откроет ворота для ее врагов?

Или молодой Кемерис — великий волшебник, волхв, и он сам сумел договориться с рекой, сумел заставить ее сменить русло? Или помогли ему вавилонские маги, халдеи?

Отступает река все дальше и дальше от берегов, мелеет могучий Тигр, вот он уже превратился в жалкий ручеек, вот остались от него только зловонные лужи.

И тут отдал Кемерис приказ вождям кланов, а те — начальникам отрядов, а те — командирам сотен, и вся неисчислимая масса скифской конницы хлынула в обнажившееся русло реки, а по этому руслу, под речными воротами, ворвалась на улицы беззащитной Ниневии.

Защитники речных ворот попытались остановить степное воинство — да куда им, проще остановить голыми руками катящийся с горы каменный оползень!

Смели скифы горстку защитников, ворвались в огромный город, как волки в овчарню.

А следом за ними устремились в речные ворота стройные ряды вавилонских воинов. А следом за воинами, под их защитой, — шустрые погонщики с вьючными ослами. А на спинах ослов нет никакой *поклажи, только кожаные мешки да сумки, приготовленные под несметные сокровища Ниневии.*

Горе тебе, Ниневия, город крови! Горе тебе, львиное логово!

Бородатые степные всадники скачут по твоим улицам и площадям, кровью залиты ступени твоих домов.

Где свистел бич надсмотрщика и стонали твои невольники, свистят теперь стрелы скифов, и стонут знатные горожане, уводимые в плен, на рабские рынки.

Горе тебе, Ниневия!

Скачут скифы по улицам гордой Ниневии, убивают последних ее защитников, ищут те сказочные богатства, о которых слышали не раз от тех, кому довелось побывать в великом городе.

Но куда ни приходят скифы — все уже разграблено, все уже расхищено. Коварные вавилоняне успели раньше степных воинов ограбить ассирийские сокровищницы. Ибо знали они, где искать, знали, как открыть сокровищницы ассирийских царей.

Наполнили погонщики мешки и сумки ассирийским золотом, наполнили дорогими каменьями. Обратно погнали выносливых вьючных ослов, обратно, в Вавилон.

С трудом плетутся ослы, с трудом несут на себе богатую добычу. На подъеме помогают им погонщики, следят, чтобы не пропала и малая часть добычи — ассирийское золото, драгоценные каме-

нья — жаркие, как закатное солнце, яхонты, зеленые, как рассветное море, смарагды, голубая, как летнее небо, бирюза.

Посреди захваченного города, на ступенях царского дворца, встретился молодой скифский царь Кемерис с Мардуком, начальником вавилонских колесниц.

— Славное дело сделали сегодня твои воины! — сказал Мардук, оглядывая разоренный город. — Сто лет пройдет, и двести лет пройдет, и тысяча лет пройдет — а люди все еще будут вспоминать сегодняшнюю славную битву, будут вспоминать, как ты, Кемерис, хитростью и отвагой захватил великий город, львиное логово — Ниневию! Будут про тебя петь песни, складывать легенды!

— Может, и будут люди вспоминать, да только невелика была наша отвага. Хитростью взяли мы город, а хитрость — не наша доблесть, вавилонянин. Хитрость — твое ремесло.

— Что же в этом плохого? Твою доблесть сложили мы с моей хитростью и получили славную победу!

— Так-то оно так, да только плоды этой победы достались вам, вавилонянам!

— Негоже так говорить, царь! Негоже вносить разлад между союзниками! Вместе совершили мы великое деяние. Хитростью и отвагой взяли мы Ниневию, и сам ты сказал, что хитрости в этой победе было больше, чем отваги. А хитрость — наша доблесть, царь! Вы, скифы, люди простые, к хитро-

стям неспособные. Так что по справедливости нам и причитается большая часть добычи. Потому мы и взяли себе царские сокровища.

Но твои люди, царь, тоже не в обиде: они взяли себе имущество богатых горожан, а в Ниневии богатых было немало. Каждый из твоих воинов немало унесет в своей седельной сумке.

И еще одно мне приказано тебе передать...

— *Кем приказано, вавилонянин?*

— *Владыками моего города, великого Вавилона, и жрецами моего бога, великого Баала.*

— *Что же велели передать мне твои хозяева?*

— *Велели они передать: пусть сегодня и завтра хозяйничают скифы в Ниневии, а на третий день, когда солнце будет клониться к западу, владыки Вавилона устроят для вас небывалый пир. Такой пир, какого не видел прежде ни один из скифов. Знатно угостим мы тебя, царь, и лучших твоих людей, но и всех прочих не обидим.*

И на том пиру я вручу тебе, царь, подарок. Подарок, достойный великого царя.

Лена ахнула и попятилась.

Перед ней, посреди залитой лунным светом комнаты, стоял тот самый человек, который пугал ее ядовитыми пауками. Тот самый человек, который уехал к ней домой, чтобы проверить куртку ночного водителя.

— Да, с курткой ты меня, конечно, обманула, — проговорил он укоризненно, — но теперь это уже не имеет значения. Ведь ты сама нашла тайник, который я безуспешно искал несколько лет, и сама принесла мне венец! Что ж, за это я, может быть, сохраню тебе жизнь. Хоть ты и убила мою помощницу — но я это, так и быть, прощу. Честно говоря, она мне никогда не нравилась.

— Я ее не убивала, — возразила Лена, — ее убили ваши пауки.

— Теперь это не важно! — Мужчина сделал шаг вперед.

Он двигался медленно, как будто преодолевал какое-то сопротивление, как будто лунный свет замедлял его движения, как он замедлял Ленины движения несколько минут назад.

— Вот еще что... — проговорил он, чуть заметно поморщившись. — Расскажи мне, как это тебе удалось?

— Удалось — что? — переспросила Лена, следя за его приближением.

Теперь она не испытывала перед этим человеком того страха, какой чувствовала прежде, в его паучьей оранжерее. В ней появилось что-то новое, и это новое придало ей силы.

— Не придуривайся! — рявкнул мужчина, которому надоело изображать доброго дядю. — Ты понимаешь, о чем я! Как тебе удалось найти этот тайник? Как тебе удалось отыскать венец?

— Сначала вы. Расскажите мне, как вы его искали, и вообще, что вы о нем знаете.

— Ты не в том положении, чтобы торговаться! — выкрикнул мужчина, но затем взял себя в руки, притушил гнев в глазах и снова заговорил мягко, обволакивая Лену своими словами, как паук обволакивает паутиной пойманную муху: — Этому венцу много, много сотен лет... да что — сотен, ему несколько тысячелетий! Его носили вожди скифов в те далекие времена, когда Рим был еще грязной захолустной деревенькой, в те времена, когда греческие племена осаждали Трою, а Гомер только начинал складывать свои великие поэмы.

Скифы... великий, таинственный народ, чьи владения простирались на сотни и тысячи километров! Они кочевали в бескрайних степях Северного Причерноморья, но совершали дальние победоносные походы, доходя до самых дальних краев, даже до Месопотамии. В их курганах находят драгоценные изделия индийских, греческих, персидских и даже китайских мастеров! Две с половиной тысячи лет назад скифы разрушили и разграбили Ниневию, великую столицу Ассирии, которая держала в страхе и подчинении половину Азии.

Мужчина говорил и говорил красивым, завораживающим голосом, ткал паутину слов, затягивая в нее Лену.

И этот гипнотический голос словно заколдовал ее.

Она не видела больше просторную комнату, заполненную лунным светом, — перед ее глазами возникла бескрайняя зимняя степь и бесконечная колонна бородатых всадников на приземистых косматых лошадях, всадников, медленно едущих по этой степи. Следом за всадниками тянулись кибитки — сотни, тысячи кибиток, запряженных такими же приземистыми лошадьми.

Вдруг Лена вздрогнула, почувствовав укол золотой иглы — как тогда, когда она надела венец. Она словно пробудилась, сбросила охватившее ее гипнотическое оцепенение, взглянула на мужчину трезвым и внимательным взглядом — и увидела, что во время своего монолога он немного приблизился к ней, что он следит за ней, как кошка за мышью, и готовится к решающему броску.

— Хватит уже этих исторических экскурсов! — оборвала его Лена. — Переходите уже к этому венцу, а для начала вернитесь на прежнее место! Я вижу все ваши маневры!

В глазах мужчины на мгновение проступили обида и разочарование, но он взял себя в руки, отступил на прежнее место и снова заговорил, более прозаическим тоном.

— Ну что ж, если ты не хочешь слушать о далеком прошлом, не надо. Добавлю только то, что необходимо знать, чтобы ты могла понять происходящее.

Скифы делились на множество племен, у каждого был свой вождь, но на время больших походов и войн эти племена объединялись. И верховный вождь носил золотой венец. Этот венец был не только символом высшей власти —

скифы верили, что он приносит им удачу в бою, и поэтому, не раздумывая, шли за обладателем этого венца.

Но именно тогда, когда скифы одержали самую знаменитую из своих побед — взяли штурмом и разграбили Ниневию, — с ними случилась и самая страшная в истории народа катастрофа.

Вавилоняне, с которыми скифы заключили союз, с помощью хитрости перебили скифских вождей.

Оставшись без предводителей, степные всадники покинули негостеприимную Месопотамию и разрозненными отрядами вернулись в родные степи.

Больше никогда скифские племена не смогли объединиться — и многие историки считают, что причина этого в том, что во время истребления скифских вождей под стенами Ниневии пропал важнейший скифский артефакт — священный венец, воплощавший верховную власть древнего народа.

— Переходите уже к делу! — потребовала Лена.

— Да я уже почти перешел! С тех пор прошли два с половиной тысячелетия. От скифов остались только золотые украшения да фрагменты оружия — но ни языка, ни верований и уж тем более ни одного живого человека. Зато от ассирийцев остался небольшой народ — их называют айсоры, и они до сих пор сохранили свой древний язык. Значительная часть айсоров живет в России. И вот среди этого древнего народа ходила легенда, что две с половиной тысячи лет назад один из их предков силой или обманом завладел неким могущественным артефактом. Этот артефакт бережно хранился, его передавали из поколения в поколение, от отца к сыну, и последний раз его видели в Петрограде, незадолго до Октябрьской революции.

Мой прадед изучал историю и культуру айсоров, собирал их легенды и сказания, и в какой-то момент он столкнулся с человеком, чей отец хранил тот легендарный артефакт. От него-то прадед и узнал, что это — священный венец скифских царей. Правда, тот айсор не сказал прадеду, где его отец прятал артефакт. Может быть, он этого и сам не знал. Но мой прадед передал эту информацию своему сыну, тот — своему, и, в свою очередь, о скифском венце узнал я. И я поставил целью своей жизни найти этот венец, завладеть им. Ведь это — древний могущественный артефакт, имеющий огромную историческую ценность...

— Вот только не надо этих красивых объяснений! — перебила его Лена. — Вы искали этот венец, потому что он стоит миллионы.

— Да он вообще бесценный! — выпалил мужчина и тут же замолчал, осознав, что проговорился.

— Ладно! — произнес он после недолгой паузы. — Я рассказал тебе то, что знал. Теперь твоя очередь. Как ты узнала про этот венец? Как ты смогла его найти?

— Судьба... меня привела к этому венцу судьба. Но я думаю, что это не случайно. Я каким-то образом связана с венцом.

Лена не собиралась рассказывать этому человеку о своих видениях, о странной песне, которую она слышала в последние дни. Это никого не касалось, кроме нее.

— Не хочешь рассказывать? — Мужчина сверкнул глазами. — Что ж, тебе же хуже... мне и самому уже надоели эти игры! Отдай венец, и тогда ты умрешь легкой, безболезненной смертью, тогда тебе не придется познакомиться с моими маленькими восьминогими друзьями... ты не будешь обезображена...

— Как твоя подруга? — проговорила Лена, вспомнив страшное, распухшее лицо его помощницы. — Да ладно, нечего меня пугать, они уже все сдохли. Или сдохнут к утру от холода! Твои милые зверюшки привыкли к тепличным условиям, так что я их не боюсь!

Она осознала внезапно, что так и есть, венец в ее руке придавал ей сил и смелости.

Мужчина злобно выругался и кинулся к Лене. Но на полпути случайно наступил на брошенный ею бронзовый инструмент — конструкцию из трех бронзовых линеек, соединенных шарнирами.

И снова, как некоторое время назад, раздался громкий металлический щелчок. Бронзовые линейки провернулись на шарнирах и сомкнулись, сжав ногу мужчины, как челюсти капкана.

Он вскрикнул от боли, упал и застучал руками по полу, как борец, который просит пощады у соперника.

И тут случилось неожиданное.

Когда мужчина ударил по одной из паркетных плашек, раздался странный скрежет, словно заработал какой-то скрытый механизм, и квадратный участок пола под ним провалился, открыв темный, необычайно глубокий колодец.

Мужчина вцепился одной рукой в край этого колодца, а другой схватил Лену за ногу. Лицо его было бледно от боли и страха, он со всей силы впился пальцами в Ленину щиколотку.

Лена упала на пол на краю темного провала. Она пыталась за что-то ухватиться, но ничего подходящего под рукой не было, и она, размахивая руками, медленно сползала к краю колодца. Вот ее ноги уже перевесились через край, и она почувствовала, как снизу тянет холодом и сыростью. Холодом, сыростью и смертью... Смертью...

В это время дверь комнаты с грохотом распахнулась, по комнате простучали тяжелые шаги, и чьи-то сильные руки схватили Лену за плечи, потянули назад...

В то же время Лена, почувствовав поддержку, исхитрилась пнуть вцепившегося в ее ногу мужчину.

Его хватка разжалась — и он с криком ужаса полетел в черную глубину.

Долгие секунды этот крик становился все тише и тише и наконец замолк, завершившись глухим ударом.

Те же сильные руки оттащили Лену от края колодца.

Только сейчас она смогла повернуться, чтобы разглядеть своего спасителя.

И увидела широкую, нескладную фигуру, похожую на двустворчатый шкаф.

Это был Толик.

— Ты как здесь оказался? — спросила Лена, справившись со своим голосом.

— А что, ты чем-то недовольна? — проворчал тот обиженно.

— Нет, что ты! — спохватилась Лена. — Спасибо тебе большое! Если бы не ты, я бы сейчас была там... — Она испуганно покосилась на черный колодец.

И с удивлением увидела, что никакого колодца нет. Проем в полу снова закрылся, и даже не было видно никаких швов на том месте, где он только что чернел.

Лена могла бы подумать, что все это ей померещилось, если бы на полу в нескольких шагах от нее не лежал золотой венец с красным камнем посредине.

— А это что такое? — заинтересовался Толик.

— О, это долго рассказывать... — проговорила Лена и тут же устыдилась: — Я тебе обязательно расскажу, все расскажу, только не сейчас, сейчас у меня просто нет сил.

— Да, конечно, я отвезу тебя домой.

— Постой... мне тут еще кое-что нужно... — Лена наклонилась и подобрала с пола связку ключей.

Это были ее собственные ключи, которые взял у нее охотник за венцом, когда поехал к ней домой. Видимо, он выронил связку, когда упал, попав в бронзовый капкан.

— Не могу же я оставить здесь свою машину, — проговорила Лена, показывая Толику ключи, — на ночь-то...

— Да уж, это только кажется, что никого нету, а утром придешь — машинка тю-тю! — согласился Толик.

— Ой, а там еще покойница с пауками! — спохватилась Лена. — И этот там, внизу. Ну он-то пускай там и останется.

— Внизу? — Толик изобразил удивление. — О ком ты говоришь? Лично я никого не видел.

— Да, так будет лучше... ну а как быть со всем остальным?

— Я разберусь. А с этим что ты собираешься делать? — Толик показал глазами на венец.

Лена задумалась.

— Наверное, опасно держать это дома. Хочешь, я пока положу его в сейф?

— В сейф? — удивленно переспросила Лена. — Откуда у тебя сейф?

— Да я работаю в музее, кстати, совсем недалеко отсюда, на этом же острове. Там у меня есть сейф для документов и всяких важных и ценных вещей.

— Ты?! — Лена распахнула глаза, недоверчиво глядя на Толика. — Ты работаешь в музее?

Этот славный шкафоподобный парень никак не вписывался в ее представление о музейном сотруднике. Музейных сотрудников Лена представляла либо глубокими стариками, либо хилыми тщедушными очкариками. Хотя она наверняка ошибалась.

— Ну я, конечно, не научный сотрудник! Я у них начальник службы безопасности.

— Круто! — восхитилась Лена. — Вот уж никак не думала... а что это за музей?

— Частный музей, созданный на средства крупной инвестиционной компании. Так что, если ты хочешь, я могу положить эту штуку в сейф. А завтра покажем ее специалисту.

— Какому еще специалисту? — подозрительно осведомилась Лена.

— Ты понимаешь, у нас скоро открывается выставка артефактов, найденных при раскопках скифского кургана, которые финансировал наш музей. Так вот, археолог, который руководил этими раскопками, приехал сюда, чтобы подготовить выставку.

— Скифские артефакты? — переспросила Лена. — Но этого не может быть!

— Почему это не может? — обиженно проворчал Толик. — Скифы жили на территории нашей страны больше двух тысяч лет назад, от них осталось много захоронений, и одно из них...

— Да знаю я! Я просто удивилась такому совпадению, ведь этот венец тоже скифский!

— Ну вот видишь! Значит, сам бог велел показать его Арбекову. Ну, тому археологу, о котором я говорил.

— Хорошо, непременно покажем. Но только до завтра я оставлю венец у себя. Я просто не могу с ним расстаться.

— Ну ладно, как знаешь... а ты не боишься? За ним ведь такие опасные люди охотятся. — Толик выразительно посмотрел на то место, где совсем недавно чернел бездонный колодец, в который провалился любитель пауков.

— Нет, не боюсь! — ответила Лена. — Я уверена, что со мной больше ничего плохого не случится!

И она действительно в это верила. Непонятно почему, но верила. Может быть, сам венец внушал ей эту уверенность.

— Как знаешь, — смирился Толик. — Но домой я тебя все-таки отвезу. Для своего собственного спокойствия.

И он действительно отвез ее домой и дождался, пока Лена вошла в квартиру, и только после этого вернулся в свой музей.

Дома Лена вспомнила о раненой руке. Странно, что она про нее позабыла. Хотя рука больше не болела и даже обрела чувствительность. Еще больше Лена удивилась, когда осмотрела рану.

Собственно, раны никакой и не было, была очень глубокая царапина, которая сама собой затянулась, так что кровь не шла. Надо же, а поначалу было так плохо, чуть сознание не теряла...

Впрочем, взглянув на венец, Лена поняла, что это он ей помог. Каким образом, неясно, но все дело именно в нем.

А утром, едва Лена проснулась, Толик позвонил ей по телефону.

— Ну что, ты готова?

— К чему готова? — переспросила Лена, которая спросонья еще плохо соображала.

— Готова ехать к нам в музей? Я предупредил Арбекова, он согласился взглянуть на твой венец.

— Еще бы он не согласился... — проворчала Лена. — Ладно, поехали. Ты за мной заедешь или мне самой ехать к вам?

— А я уже у твоего порога. Можешь выглянуть в окно.

Лена выглянула — и действительно увидела под окном мощную фигуру Толика. Он стоял возле своей машины, прижав к уху мобильный телефон, и махал ей рукой.

— Подожди двадцать минут! — приказала Лена, отчего-то она знала, что Толик не будет возражать. И ворчать не станет, что вечно она копается и возится, а люди ждут, что он пообещал, что они будут вовремя, а теперь вот ему извиняться придется. Хотя он виноват только в том, что связался с такой копушей, как Лена. И еще много всего в том же духе.

Так обычно ворчал Андрей, хотя они с ним не имели никаких общих дел, только к друзьям ходили или в клубы-рестораны. Театры Андрей не любил, а кино презирал, говорил, что оно для подростков.

Странно, а раньше она как-то не обращала внимания на его противный характер. Потом постаралась вообще выбросить его из головы, а теперь вот вспоминает. Наверное, оттого, что он вдруг появился. Непонятно, зачем только приходил.

Тут Лена выбросила из головы все посторонние мысли и убежала в душ, потом слегка подкрасилась, и уже в прихожей настиг ее звонок шефа.

— Дроздова! — как обычно, орал он в трубку. — Ты вообще работать у нас собираешься?

Лена молчала, зная по опыту, что вопросы шеф всегда задает те, на которые лучше не отвечать.

— Снова ты где-то гуляешь! — надрывался шеф. — Снова тебя нету! Если не хочешь работать, так и скажи, я на твое место желающих в два счета найду.

Это было заведомое вранье, Лена работала хорошо, а платил шеф не так чтобы много, работы же норовил навалить чертову прорву. Так что очередь на ее место явно не стояла. Тем более что у Лены в работе несколько проектов, и если бросить все на полдороге, то не всякий, кто придет на ее место, сможет разобраться. Лена молчала не потому, что боялась шефа, после вчерашнего она ничего не боялась.

— Что ты молчишь? — Шеф понял, что что-то не так. — Ты меня вообще слышишь?

— Вы все сказали, Игорь Саныч? — спросила Лена обманчиво спокойным голосом. — Теперь меня послушайте!

— Но-но... — начал было он, но Лена перебила:

— Вы куда меня вчера послали? — Она постепенно набирала обороты. — Вы откуда таких заказчиков выкопали? Может быть, вы меня нарочно извести хотите?

— Да что такое! — опешил шеф. — Да ты, Дроздова, в своем уме? Или выпила с утра пораньше?

— Да я-то в своем уме нахожусь! — обнадежила его Лена. — И в твердой памяти, то есть ничего не забуду! В том доме, по Каштановому проезду номер четыре, куда вы меня послали, оказался подпольный террариум!

— Чего? — оторопел шеф. — Змеи, что ли, живут?

— Пауки! Причем ядовитые! Тысяча видов! Причем у них что-то там случилось, система поломалась, и пауки расползлись по всему району! Перед этим насмерть одну бабу закусали, а хозяин исчез! Я оттуда едва ноги унесла!

— Да иди ты!

— Не верите? — вкрадчиво спросила Лена. — Тогда сами можете туда подъехать, посмотреть.

— Нет уж, я пауков как-то не очень... тем более они ядовитые. А что они от нас-то хотели?

— А уж это я не знаю, они с вами договаривались! — Лена не стала скрывать злорадство в голосе.

— А ты-то где сейчас? — спросил присмиревший шеф.

— А я в больнице, у меня стресс! — соврала Лена. — И поранилась там, в общем, еле ноги унесла! Так что если меня в полиции спрашивать станут, как да что, то я на вас сошлюсь. Вы с ними договор заключали, вы и отвечайте! Шутка ли — ядовитые пауки в городе!

По тому, как шеф сопел в трубку, она поняла, что он здорово струхнул. Кому охота с полицией дело иметь? Наедут на фирму по полной программе, потом неприятностей не оберешься!

— Слушай, ты это... — шеф тяжко вздохнул, — мы никакого договора не заключали, они просто попросили. Собирались заключить договор о намерениях. В общем, ты в полиции промолчи, скажи, что случайно там оказалась.

— Попробую. — Лена вовсе не собиралась в полицию, там и без нее разберутся. А пауки небось, за ночь передохли.

— Но сегодня на работу не приду! — сказала она. — У меня стресс и последствия раны!

И поскорее повесила трубку.

Через сорок минут они с Толиком снова ехали по Каменному острову.

Лена невольно вздрогнула, увидев аллеи, по которым бежала минувшей ночью, спасаясь от страшных преследователей. Перед ее глазами возникла оранжерея, террариумы с пауками...

Впрочем, при свете солнца ее ночные приключения казались нереальными.

Толик подъехал к красивому двухэтажному особняку. По сторонам широкого крыльца возлежали два каменных льва, вдоль фронтона выстроились колонны.

— Красиво! — оценила Лена.

— Еще бы! — довольно фыркнул Толик, как будто это был его собственный особняк.

Они вошли в музей, поднялись на второй этаж.

Толик постучал в массивную дубовую дверь, открыл ее и произнес:

— Юрий Назарович, вот та девушка, о которой я вам говорил!

Он втолкнул Лену в кабинет, а сам деликатно испарился.

Лена оказалась один на один с высоким загорелым мужчиной, лицо которого было словно вырублено из гранита. Он поднялся из-за стола, пошел навстречу Лене и с интересом ее оглядел.

— Ну здравствуйте! Толя так часто о вас говорит в последнее время... мне было интересно взглянуть на вас.

— Толя обо мне часто говорит? — удивленно переспросила Лена. — С чего бы это?

— Вам виднее. Впрочем, вы пришли не за этим. Он сказал, что у вас есть какой-то скифский артефакт... Я, конечно, сомневаюсь, что он действительно скифский, но раз Толя просил, давайте я взгляну.

Лене стало обидно.

Что этот самодовольный тип себе позволяет? Как это он смеет сомневаться в ее венце?

Лена подошла к столу, открыла сумку и выложила на стол венец.

И украдкой взглянула на лицо археолога.

И заметила, что выражение его лица стало быстро меняться.

От безразличия оно перешло к сдержанному интересу, затем к недоверию и, наконец, — к восхищению.

Археолог долго молчал, не сводя с венца глаз, затем растерянно взглянул на Лену:

— Откуда это у вас?

— Долго рассказывать, — проговорила она. — Ну что, это действительно настоящий скифский артефакт? Теперь вы поверили?

— Ну конечно, мне нужно провести разные исследования и анализы, но судя по внешним данным — да, это подлинный скифский артефакт, и не просто артефакт — это удивительный, выдающийся предмет! Я неоднократно слышал и читал о его существовании, но не верил, что когда-нибудь его увижу! Это знаменитый венец верховного вождя, или царя, западных скифов. Геродот, отец истории, называл их царскими скифами — именно потому, что у них был верховный вождь, которому беспрекословно подчинялись вожди племен и кланов.

В пятом веке до нашей эры царские скифы вторглись в Междуречье и в союзе с вавилонянами разрушили и разграбили столицу Ассирии Ниневию.

— Да знаю, знаю я это!

— Вот как? — Археолог с интересом взглянул на Лену. — Это не совсем обычно для девушки вашего поколения. Но я хотел сказать, что после разрушения Ниневии вавилоняне перебили скифских вождей. Царские скифы, лишенные руководства, вернулись в родные степи, а венец властителя бесследно исчез.

И вот теперь, через две с половиной тысячи лет после тех событий, вы приносите мне этот венец... Вы можете представить мое удивление? Это сенсация! Это больше чем сенсация! Это переворот в археологической науке!

Археолог ненадолго замолчал, затем поднял взгляд на Лену и проговорил с тайной надеждой в голосе:

— В нашем музее через несколько дней открывается выставка скифских артефактов, найденных в недавно обнаруженном захоронении. Эти раскопки проводились силами и на средства нашего музея. Если бы вы могли разрешить выставить вместе с нашими находками этот венец, эта выставка вышла бы на другой уровень, она приобрела бы поистине мировое значение!

Сюда устремились бы крупнейшие археологи мира!

— Да, конечно, пожалуйста, выставляйте его, — проговорила Лена и тут же добавила: — Вообще, берите этот венец насовсем. Он в вашем музее будет на месте, среди других скифских древностей. А у меня... что я с ним буду делать? Я буду только волноваться за него. Такая ценность — вдруг его украдут?

Археолог даже подскочил, его лицо побледнело, затем покраснело.

— Это так неожиданно! — воскликнул он. — Это так благородно! Я потрясен! Но у нас нет таких денег, чтобы заплатить вам за этот венец справедливую цену! Да он просто бесценен! У нас, конечно, есть какие-то средства, но нет такой суммы, которая может хотя бы отдаленно покрыть стоимость этого венца.

— Не нужно мне никаких денег! — отмахнулась Лена. — Я почувствовала, что должна отдать его вам. Сам венец сказал мне это. Берите его, берите... пока я не передумала.

— Мы оформим дар... — бормотал археолог, — напишем...

— Вот этого не надо! — твердо сказала Лена. — Ни в коем случае мою фамилию не упоминайте! Не потому, что с венцом не все чисто, нет, я гарантирую, что он не краденый и никто не заявит на него свои права. Просто я не хочу. Поймите, я — человек случайный, просто так получилось, что я была выбрана судьбой для того, чтобы венец нашелся. Иначе я не могу объяснить все то, что случилось со мной в последнее время. Вы меня понимаете?

— Понимаю, — серьезно произнес археолог. — Что ж, благодарю вас за этот чудесный дар. На выставку вы хоть придете?

— Пришлите мне персональное приглашение, — улыбнулась Лена.

Два дня длилось разграбление Ниневии.

Бородатые скифские воины врывались в дома богатых горожан и под страхом смерти заставляли тех отдавать золото и серебро, бирюзу и яхонты — все, что накопили ассирийцы годами работы и торговли, годами военных походов и дальних странствий. Все, что отняли они у соседних народов.

Кто-то сразу отдавал свое богатство, кто-то — только под пыткой. Кровь лилась рекой, стоны и вопли ассирийцев раздавались по всему городу, поднимались к небесам.

Скифы забирали награбленное и относили в свои кибитки, отдавали смуглым степным женщинам.

Скифские женщины надевали пышные наряды и украшения, достойные цариц. Скифские дети играли персидскими монетами и индийскими яхонтами.

К вечеру второго дня от гордой Ниневии остались только дымящиеся развалины.

И тогда скифские воины покинули город.

Покрытые пылью походов и кровью врагов, разгоряченные недавним боем, они потянулись на равнину перед западными воротами — там вавилоняне разбили сотни шатров для знатных скифов, расстелили на земле тысячи ковров для простых воинов, расставили блюда с богатым угощением.

Здесь были десятки забитых и целиком зажаренных быков, сотни кабанов, фаршированных маслинами и земляными грушами, тысячи кур, уток и гусей, приправленных шафраном и кардамоном, груды спелых овощей и фруктов.

Но больше всего было вина и пива.

Крепкое виноградное вино из виноградников Армении и Наблуса. Хмельное пиво подвозили бочку за бочкой.

В самом большом шатре угощались вожди кланов, знатные скифы и военачальники.

К этому шатру шел молодой скифский царь Кемерис в пыльных, покрытых кровью доспехах. Следом за ним шли его приближенные и могучие воины царской охраны.

Вдруг навстречу царю бросилась сутулая, закутанная в темный плащ фигура. Один из охранников поднял меч, но тут же опустил его, узнав царскую мать.

— Не ходи туда, Кемерис! — воскликнула женщина, схватив царя за край плаща. — Не ходи туда, мальчик мой!

— Что такое ты говоришь? — Кемерис взял мать за плечи. — Я не понимаю тебя!

— Не ходи на этот пир!

— *Разве ты не рада тому, какую великую победу мы одержали? Разве не достойно мужчины отпраздновать свою победу?*

— *Твоя победа может обернуться поражением. Вавилоняне хитры, они не хотят делиться с тобой плодами победы. Они замыслили предательство. Не ходи на этот пир и вели всем своим воинам не принимать вавилонское угощение!*

— *Я удивляюсь твоим словам. Вавилоняне просили нас о помощи — и мы им помогли. Вавилоняне слабы, они не посмеют предать меня, не посмеют причинить мне зло. Если они отплатят мне за добро злом, мой гнев будет страшен!*

— *Они слабы, но хитры. Слабость делает их еще опаснее. Не ходи на этот пир! Вели своим воинам оседлать своих коней, уведи их из этой страны лжи в наши родные степи! Только там, в наших степях, скрыта наша сила!*

— *Я не могу увести своих воинов. Они должны вкусить сладость победы, должны насладиться пиром, насытиться богатым угощением вавилонян. Иди в свою кибитку, посмотри, какие дары я прислал тебе из ассирийской добычи! Надень шелковые наряды, примерь золотые украшения и порадуйся вместе со мной!*

— *Я не могу радоваться, когда вижу, что мой сын падает в пропасть. Не я ли выходила тебя, когда ты умирал, обгоревший в погребальном костре? Не я ли собрала вождей кланов, чтобы они поддержали тебя против твоего брата? Не я ли помогала тебе, чем могла, когда у тебя были трудные времена? Ты слушал мои советы и добился многого, послушай же меня и сейчас!*

— Ты помогла мне, и я тебе благодарен. Но не надо отнимать у меня радость победы. Иди в свою кибитку, женщина!

С этими словами Кемерис оттолкнул мать и зашагал к большому шатру.

Большой, богато убранный шатер стоит недалеко от ворот Ниневии. В центре этого шатра на кресле из слоновой кости восседает верховный вождь скифов, молодой царь Кемерис. Голову его украшает золотой венец его отца, венец скифских царей.

Рядом с ним, но немного ниже, сидит вавилонский полководец, начальник вавилонских колесниц по имени Мардук.

Смотрит он снизу вверх на молодого скифского царя и улыбается.

Борода вавилонянина завита красивыми кольцами, выкрашена красной хной, посыпана золотой пылью. Красивая борода у Мардука.

Скифский царь смотрит на его бороду и усмехается.

Изнежены вавилоняне, приучены к дорогим кушаньям, красивым нарядам. Настоящий воин должен есть простое мясо, пить холодную воду и хмельное пиво — тогда руки его будут сильны, а сердце храбро. Но после великой победы настоящий воин мо-

жет насладиться вкусными лакомствами, сладким вином, красивыми женщинами.

Вокруг расселись знатные скифы. Не пьют, не едят прежде своего царя, ждут, когда он выпьет первый кубок.

Подал голос самый старый вождь, глава клана Медведя.

— Вспомни, царь, что говорили наши отцы; священный венец не должен украшать твою голову, когда ты пьешь сладкое вино и хмельное пиво.

Послушал старого вождя Кемерис, снял венец, положил рядом.

Теперь можно пировать.

Середина шатра пуста, покрыта богатым ковром.

Вавилонянин хлопает в ладоши — и выбегают на этот ковер халдейские танцовщицы. Гибки они, словно змеи, на щиколотках и запястьях — серебряные браслеты с колокольчиками. Танцуют рабыни, извиваются, серебряные колокольчики нежно звенят.

— Большую победу мы празднуем сегодня, — говорит Кемерису вавилонянин, — великую победу. Выпьем же с тобой за эту победу из одного кубка, как братья!

Протягивает Мардук скифу золотой кубок, изукрашенный драгоценными камнями, кубок, полный темным наблусским вином, драгоценным вином из царских виноградников.

Нахмурился Кемерис.

Вспомнил он слова своей матери.

Хитры вавилоняне, не хотят делиться со скифами плодами своей победы. Не замыслил ли Мардук предательство?

— Выпей первым из этого кубка! — потребовал скифский царь.

— Неужели ты не веришь мне, друг? — говорит Мардук с обидой. — Мы с тобой сражались бок о бок, разделили победу. Мне обидно видеть такое недоверие!

— Я верю тебе, — отвечает ему скифский царь, — однако такой у нас, скифов, обычай. Никогда мы не пьем первыми из одного кубка.

— Пусть будет по-твоему! — Мардук выпил из золотого кубка, вытер губы и протянул кубок скифу.

Перевел дыхание Кемерис: не права мать, ничего дурного не задумали вавилоняне.

Допил он драгоценное вино, вздохнул от удовольствия: хорошо вино у вавилонян!

Правда, почувствовал он в этом вине какой-то необычный привкус, но, видно, так и должно быть.

Поглядев на царя, и остальные скифы начали пить. Вожди кланов, начальники отрядов, знатные воины — все отведали драгоценного наблусского вина.

Пьют скифы много, едят жадно, глядят на извивающихся танцовщиц, слушают звон серебряных колокольчиков.

Вавилонянин ест немного, деликатно, пьет и того меньше. Смотрит на скифского царя, улыбается, словно ждет чего-то.

— Ты ведь обещал сделать мне подарок! — напомнил скиф Мардуку.

— Я не забыл! — кивает вавилонянин. — Я никогда ничего не забываю!

— Подарок — это хорошо! — усмехается Кемерис. — Я люблю подарки! Какой же подарок ты мне приготовил? Я люблю дорогое оружие, быстрых коней...

Вавилонянин дважды хлопнул в ладоши — и из-за расшитого золотом занавеса показалась стройная фигура, закутанная в покрывало из драгоценной парчи.

Покрывало упало на пол — и Кемерис ахнул от восхищения: перед ним стояла юная девушка ослепительной красоты. Золотые волосы змеились по ее плечам, сияли на нежном лице большие глаза, синие, как два индийских сапфира.

— Эту красавицу я привез для тебя с далеких греческих островов, — проговорил Мардук.

— И впрямь, она красива! — воскликнул Кемерис. — Никогда прежде не доводилось мне видеть такой красоты!

Закружилась голова у скифа — то ли от волшебной красоты гречанки, то ли от выпитого вина.

Он захотел встать, чтобы прикоснуться к золотым волосам прекрасной невольницы, но ноги не держали его, и скиф снова опустился на резное кресло.

Удивился Кемерис: не так много он выпил, чтобы вино ударило в голову! Крепко наблусское вино, но крепки и скифы, без вреда могут выпить целый кувшин сладкого вина!

И тут почувствовал Кемерис, словно огонь запылал у него внутри. Запылал, пожирая его внутренности.

— Что со мной? — проговорил он, растерянно взглянув на Мардука. — Что со мной, вавилонянин?

Ничего не ответил Мардук, только взглянул на скифского царя. И было в этом взгляде высокомерие и презрение к дикому, неотесанному варвару, которого ничего не стоит обмануть. И было в этом взгляде торжество победителя.

Потянулся Кемерис к священному венцу, венцу своих предков, чтобы почерпнуть в нем магическую силу и справиться с предателем, но в это мгновение прекрасная гречанка схватила его венец и метнулась за спину Мардука.

Вспомнил молодой скиф слова своей матери... почему, почему он не послушал ее?

— Что... что ты со мной сделал, вавилонянин? — проговорил Кемерис заплетающимся языком.

И правда, что сделал с ним подлый вавилонянин? Угостил его отравленным вином?

Но ведь он сам пил из того же кубка, что Кемерис, пил из него первым — и ему ничего не сделалось.

И тут словно пелена упала с глаз скифского царя.

Вспомнил он, как Мардук, выпив первым из кубка, стряхнул в этот кубок золотые крупинки со своей ухоженной бороды.

Золотые крупинки... в них-то и был яд!

— Измена! — воскликнул Кемерис из последних сил и попытался вытащить меч из ножен — но в его руках уже не было сил.

Он оглядел своих сотрапезников — и увидел, что половина из них уже лежит на ковре, спит мертвым сном, сном, от которого нет пробуждения, а другая половина корчится в предсмертных судорогах.

Один только могучий старик — вождь клана Медведя — поднялся во весь рост и вытащил меч. Но к нему тотчас подскочили две халдейские танцовщицы, накинули ему на шею удавку и крепко затянули ее. Старый вождь захрипел и упал бездыханным.

А танцовщицы, гибкие и смертоносные, как гремучие змеи, скользили между скифами и добивали их тонкими бронзовыми кинжалами.

Мардук, оглядев шатер и убедившись, что все идет по плану, подал знак безмолвно стоявшему у выхода вавилонскому воину. Тот вышел из шатра, приложил к губам витой бараний рог и трижды в него протрубил.

По этому сигналу несколько сотен вавилонских пехотинцев подошли к шатрам, в которых пировали знатные скифы, подрубили подпорки этих шатров и повалили сами шатры.

Из-под шатров донеслись пьяные и испуганные вопли, а вавилоняне принялись наносить удары, поражая скифов сквозь ткань шатров. Тех же, которые сумели выбраться наружу, они методично и безжалостно убивали копьями.

Крик и стон поднялся над равниной.

Меньше чем через час все вожди, все военачальники, все знатные скифы были перебиты.

И тогда на равнину выкатились непобедимые, смертоносные вавилонские колесницы.

Простые скифские воины, оставшись без командиров, в растерянности метались, пытаясь спастись от стрел и копий недавних союзников. Многие из них были отравлены вином, многие — просто пьяны, и никто не смог оказать вавилонянам сопротивления.

Сбившись в отдельные кучки, отбиваясь и поддерживая раненых, скифы отступали от разрушенного города. Кое-как собрав остатки войска, остатки народа, побросав захваченную в Ниневии добычу, скифы уходили из богатой, но негостеприимной Месопотамии на север, в свои родные бескрайние степи, чтобы больше никогда не вернуться, чтобы с ужасом рассказывать детям и внукам об этом неудачном походе, о коварстве вавилонян.

А в самом большом шатре, где лежали вповалку мертвые скифские вожди, Мардук гордо оглядывал дело своих рук.

— Слава Баалу! — проговорил он удовлетворенно. — Мы покончили с заносчивой Ниневией рука-

ми северных варваров, но и с самими варварами мы расправились. Отныне у великого Вавилона нет соперников! И у меня не будет соперников, поскольку этот скифский венец даст мне магическую силу.

Он обернулся, но не увидел у себя за спиной прекрасной гречанки.

Он позвал ее, но она не отозвалась.

И тогда понял Мардук, что и он обманут, как молодой скифский царь. Украв по его приказу скифский венец, гречанка выскользнула из шатра, оседлала своего коня и умчалась... куда? Один Баал может это знать! Умчалась вместе с венцом скифского царя.

— Ну ты даешь! — проговорил Толик, встретив Лену в коридоре после разговора с археологом. — Надо же — отказаться от таких денег! Честно говоря, я бы, наверное, не смог!

— Откуда ты это знаешь? — спросила Лена, исподлобья взглянув на Толю. — Подслушивал, что ли?

— Да нет, что ты! — Он смутился. — Просто Арбеков пришел в такое возбуждение от твоего подарка, что тут же раззвонил о нем по всему музею. И то сказать — теперь наш музей станет одним из самых известных археологических музеев в мире! Но ты-то, ты-то... неужели тебе совсем не нужны деньги?

— Еще как нужны. Но я почему-то думаю, что поступила правильно. Этот венец нельзя продавать. А деньги... как-нибудь выкручусь! Квартира у меня есть, шеф теперь с работы не уволит, я его напугала, так что прорвемся! Пока, Толик... — Лена хотела машинально добавить, что приятно было познакомиться, но опомнилась. Как она себя ведет? Человек столько для нее сделал, от смерти спас, а она... С другой стороны, ей давно уже ясно, что Толику она нравится. Так пускай сам сделает первый шаг, пригласит ее куда-нибудь, а то что они все то на кладбище, то в квартире с трупом, то в развалинах каких-то. Погода хорошая, скоро лето, хочется новое платье надеть, да посидеть где-нибудь, музыку послушать. Не самой же первый шаг делать!

По дороге домой Лена зашла в магазин, чтобы купить какой-нибудь еды. Купила сыра, масла и яиц, с тяжелым вздохом взяла упаковку готовых замороженных блинчиков.

Питаться полуфабрикатами — это унизительно, но есть хотелось, а готовить что-то самой не было ни сил, ни времени. Ладно, теперь все неприятности закончились, и она возьмется за хозяйство. А сегодня уж как-нибудь так.

Открыв дверь и сбросив туфли, Лена направилась на кухню, чтобы убрать продукты в холодильник.

И замерла на пороге.

За кухонным столом сидел, как у себя дома, фальшивый нотариус Бунчаков. Сидел, сложив перед собой руки, и, плотоядно усмехаясь, смотрел на Лену.

— Сюрприз! — проговорил он дурашливым голосом. — Картина называется «Не ждали»!

— Как... как вы сюда попали? — спросила Лена севшим от испуга голосом.

Она привалилась к дверному косяку, потому что ноги ее едва держали. А она-то думала, что неприятности закончились!

— Как попал? Обыкновенно: ключами дверь открыл и вошел. Я ведь не взломщик какой-нибудь. Вы спросите, откуда у меня ключи? Андрей мне дал. Я его попросил — он их позаимствовал у вас в ящике и дал мне. Не даром, конечно, я его материально простимулировал!

— Вот сволочь! — с глубоким чувством воскликнула Лена.

Она вспомнила, как Андрей попросился на кухню выпить воды. Вот тогда он и стащил запасные ключи! Знал, где они лежат. Значит, он за этим и притащился, а ей заливал тут, что хочет выяснить отношения! Ну надо же, до чего человек дошел, а она-то... Нужно было его даже в подъезд не впускать, послать подальше сразу же.

— Сволочь!

— Совершенно с вами согласен! — фальшивым голосом проговорил «нотариус». — Пробы ставить негде!

Лена постепенно пришла в себя и шагнула назад — выскочить из квартиры, выбежать на улицу...

— Стоять! — выкрикнул нотариус — и в руке у него появился большой черный пистолет с навинченной на ствол трубкой. Вспомнив детективные фильмы, Лена поняла, что это глушитель.

Она замерла на месте.

— Идите сюда, поговорим! — произнес мужчина и показал стволом пистолета на второй стул.

Лена медленно, неохотно подошла, опустилась на стул.

— Вы продукты уберите в холодильник, — посоветовал мужчина. — Растают.

— Черт с ними, — вяло ответила Лена. — Говорите уже, что вам от меня нужно.

— Я же вам это уже говорил! — недовольным голосом протянул «нотариус». — Мне нужно, чтобы вы подписали кое-какие документы.

— Какие еще документы?

— Отказ от наследства.

— От какого еще наследства? Я никакого наследства не жду!

— Это хорошо, стало быть, не очень расстроитесь, когда его лишитесь. Как говорится, не было — и нету, не о чем и печалиться.

— Слушайте, кончайте валять дурака! — рассердилась Лена. — Вы меня явно с кем-то перепутали!

— Если бы! — Псевдонотариус стал серьезен и тяжело вздохнул. — Никакой ошибки нету, ваш родственник завещал вам большие деньги, а также недвижимость.

— Да нет у меня никаких богатых родственников! — закричала Лена. — Если честно, то вообще родственников нету. Отец рано умер, бабушка его пережила и тоже умерла восемь лет назад. Мама уехала в свой родной город и вышла там замуж за бывшего одноклассника. С ее стороны есть, конечно, какая-то родня, но, по словам матери, там нищета полная, еле концы с концами сводят.

— Вот-вот, к делу и подошли. Раз была у вас бабушка, стало быть, был и дедушка, так?

— В жизни его не видела! — фыркнула Лена. — Он умер до моего рождения.

— Умер? — прищурился «нотариус». — Вы уверены?

— Ну нет... — Лена замялась. — Какая-то там была темная, некрасивая история. Кажется, дедушка бабушку бросил, потом они развелись, и в семье про него больше не говорили, во всяком случае со мной.

— И вы не знаете, кем был дед по профессии?

— Знаю, архитектором, как и я.

— Стало быть, наследственность сыграла свою роль...

— А что тут странного? Я с детства хорошо рисовала, в художественной школе занималась, потом решила поступать в архитектурный, чтобы профессия была.

Тут Лена осознала всю абсурдность ситуации. Посторонний мужчина угрожает ей пистолетом, а она спокойно рассказывает ему о своей жизни!

Что-то такое было в глазах этого «нотариуса», что говорило Лене, что он не шутит. И если надо, запросто выстрелит. Серьезно настроен, и опыт у него есть. Вспомнив про Юдифь Романовну, которую он запихнул в тумбу от ее же собственного телевизора, Лена вздрогнула. Конечно, противная была тетка, однако убивать ее все же не стоило.

Но, может быть, удастся этого типа отвлечь разговорами, а там уж...

— Да, — сказал «нотариус», — ваш дед был архитектором. Вы когда родились? Подождите, я же видел ваши документы. Ага, в восемьдесят восьмом, так?

— Так.

— А за год до этого, когда у вас тут потихоньку перестройка набирала обороты, вашему деду предложили работать за границей. Что-то там нужно было строить, кажется, в Африке. Он заключил контракт на два года и улетел. В Россию прилетал за два года один раз — в отпуск. Вы, конечно, не можете помнить, но тогда тут творилось черт знает что. Продуктов нет, товаров никаких нет, работы у людей нет — в общем, полный кошмар. И неизвестность, никто же толком не знал, как оно все дальше обернется. Короче, после окончания контракта в Африке деду предложили новую работу, уже не на черном континенте, а в Латинской Америке. И он уехал, а ваша бабушка не решилась. Ее можно понять. Бросить все, ехать в чужую страну, без языка, тем более вскорости должна была родиться ее внучка, то есть вы.

— Слушайте, откуда вы все так хорошо знаете про нашу семью? — не выдержала Лена.

— А я сам — член семьи, — криво усмехнулся «нотариус», — член семьи вашего деда. Маман увезла меня в Штаты в голодные девяностые, мне тогда было двадцать лет, и она очень боялась армии. Лет семь-восемь мы мыкались, я учился, маман работала то в доме престарелых, то в столовой для бедных, пока на каком-то благотворительном мероприятии не познакомилась с вашим дедушкой. Он к тому времени перебрался в Штаты и очень преуспевал, способный был человек и очень работящий. С вашей бабушкой он к тому времени давно развелся и захотел жениться на русской женщине. Маман быстро его подвела к этой мысли.

Что ж, она не прогадала. Дед ваш работал до самой смерти, удачно вкладывал свои деньги, так что сколотил весьма неплохое состояние. И вот два месяца назад он умер. И можете себе представить, какие чувства мы испытали, когда его адвокат зачитал нам завещание? Оказалось, что мой отчим, муж моей матери, оставил все свое состояние своей внучке, то есть вам! Нет, матери моей он положил очень приличное содержание, она ни в чем не будет нуждаться, но я, как это говорится, остался на бобах! Это несправедливо!

— Действительно несправедливо, — фыркнула Лена, но ее собеседник, похоже, не уловил сарказма в ее голосе.

— Ну вот, теперь вы все знаете! — закончил «нотариус». — Ну то есть ты все знаешь. Мы ведь почти родственники, так что проще перейти на «ты». Теперь ты все знаешь — и понимаешь, что выход у тебя один: подписать добровольный отказ от наследства. Форму документа я уже подготовил, так что тебе нужно только расписаться. Правда, в нескольких местах. Думаю, это не составит для тебя большого труда.

— А иначе?

— Иначе... не хотелось бы применять крайние меры. Мы ведь, как я уже сказал, почти родственники.

— Крайние меры? Ты не можешь меня убить, ведь тебе нужна моя подпись!

— Не обязательно. Твоя смерть меня тоже устроит. В завещании сказано, что в случае твоей смерти все достанется моей матери, она — единственный наследник. А уж с ней-то я договорюсь, она не посмеет обидеть единственного сына!

— Да, но если меня найдут убитой, начнется расследование, тебя отыщут, и тут уж ни о каком наследстве не может быть и речи! Мамашу твою тоже приплетут, решат, что это она тебя послала!

— Кто говорит об убийстве? — Мужчина криво усмехнулся. — Ты умрешь вполне естественной смертью. Оказывается, у тебя было слабое сердце, и оно внезапно остановилось.

— Как так?

— Очень просто! — Мужчина достал из своего портфеля маленькую металлическую коробку, положил ее на стол, открыл.

В коробке лежали шприц и ампула.

— Одна инъекция — и все, остановка сердца! Причем никто ничего не найдет, это вещество не оставляет в организме следов! Так что сама выбирай — подписать отказ или проститься с жизнью!

— Да, в таком случае выбор очевиден. Я выбираю жизнь. Жила до сих пор без денег и дальше проживу.

— Замечательно! — Мужчина изобразил хищную улыбку. — Я знал, что ты разумная женщина и примешь правильное решение! Так что давай, подписывай!

— Прости, только сначала я все же воспользуюсь твоим советом...

— Каким еще советом?

— Уберу продукты в холодильник, а то и правда растают! — Лена показала на пакет, от которого по полу тянулась ниточка воды.

— Ради бога! Только не делай резких движений, а то сама понимаешь...

— Поняла.

Лена открыла холодильник, разложила продукты, достала с нижней полки заплесневевший помидор и показала его «нотариусу»:

— Совсем хозяйство запустила. Выброшу...

— Да, хозяйка из тебя никакая!

Лена открыла дверцу шкафчика под мойкой, подняла крышку мусорного ведра, бросила в него помидор и достала банку давно прокисшего томатного сока.

— Что ты там возишься? — недовольно проговорил мужчина.

— Да вот посмотри, что тут...

Она медленно повернулась, держа банку в руке, и сдернула с нее крышку. Перебродивший сок мощной струей вырвался из банки прямо в лицо фальшивому нотариусу. Он закашлялся, попытался закрыть лицо руками, при этом выронив пистолет. Красная жидкость залила его физиономию и одежду, как брызги крови.

Лена не теряла времени.

Она метнулась к столу, схватила упавший пистолет.

Пользоваться им она не умела, на эксперименты не было времени — и она просто ударила своего преступного родственничка рукояткой пистолета по голове.

Он охнул и сполз со стула на пол.

И только теперь Лена почувствовала, как испугалась. Руки тряслись, ноги подкашивались. Она опустилась на стул, схватила мобильный телефон и, не раздумывая, набрала номер Толика.

К счастью, он ответил сразу, как будто ждал ее звонка.

— Толичек! — взмолилась Лена слабым, дрожащим голосом. — Приезжай скорее! Тут такое... такое...

К чести Толика надо сказать, он не стал задавать никаких вопросов. Видимо, по Лениному голосу понял, насколько все серьезно.

Лена сидела на кухне, сжав руки в кулаки, и в ужасе смотрела на фальшивого нотариуса.

Потом она немного успокоилась, увидела бумаги, которые он принес ей на подпись, собрала их и на всякий случай спрятала в кухонный шкафчик. Потом она все внимательно прочитает и разберется.

Прошло минут двадцать, и «нотариус» зашевелился.

Лена долго не раздумывала — она еще раз ударила его по голове рукояткой пистолета, и тут в дверь позвонили.

Выскочив в прихожую, Лена выглянула в глазок и увидела чью-то огромную, страшную физиономию. Не сразу она сообразила, что это Толик, а когда сообразила, торопливо открыла дверь и кинулась к нему:

— Толичек, слава богу, ты пришел! Я думала, сойду с ума от страха!

— Да что с тобой случилось-то? Я уж думал, все позади.

— Я тоже так думала! Но ты сам посмотри! — Лена схватила Толика за руку и потащила на кухню.

Увидев на полу неподвижное, залитое красным тело, Толик присвистнул:

— Ох, ни фига себе! Это ты его?

— Да ты что подумал-то? — возмущенно воскликнула Лена. — Это не кровь, это томатный сок! Жив он, только без сознания!

Толик принюхался и поверил.

А Лена рассказала о том, как обнаружила на собственной кухне фальшивого нотариуса, как он держал ее под дулом пистолета, как она ухитрилась вывести его из строя при помощи перекисшего томатного сока и оглушить рукояткой пистолета...

Только историю про наследство она благоразумно пропустила, а Толик не стал уточнять.

— Серьезное дело! — проговорил Толик, покачав головой. — Ну тут уж без полиции не обойдешься!

— Никак не обойтись? — вздохнула Лена.

— Никак! — отчеканил Толик. — На нем как минимум незаконное проникновение, попытка похищения, а еще наверняка убийство секретарши, а если покопаться, еще много всего. Ну я кое с кем поговорю, чтобы тебя в это дело не слишком вмешивали.

В это время фальшивый нотариус застонал и пошевелился.

Толик наклонился над ним и защелкнул на запястьях браслеты наручников.

Прошло несколько дней. Толик и правда замолвил за Лену словечко в полиции, так что к ней отнеслись там вполне сносно. На работе шеф был с ней удивительно мил, у Дашки даже возникли подозрения, что у Лены с ним намечается роман. В бумагах, что остались от фальшивого нотариуса, Лена нашла координаты адвоката своего умершего деда и связалась с ним по электронной почте. Он обещал прилететь в Россию на следующей неделе. Лена купила себе новое платье и сходила в салон красоты. Жизнь постепенно налаживалась.

Вернувшись домой после очередной беседы со следователем, Лена прошла на кухню и заглянула в холодильник. Содержимое его не радовало. Нет, давно пора взяться за ум, заняться хозяйством...

В это время кто-то позвонил в дверь квартиры.

Лена вздрогнула — в последнее время она не ждала ничего хорошего от неожиданных звонков.

Однако, напомнив себе, что все ее неприятности кончились, девушка вышла в прихожую и заглянула в глазок.

И поняла, что перед дверью стоит Толик. Только он мог занять большую часть видимого пространства.

Облегченно вздохнув, Лена открыла дверь.

— Привет! — пробасил Толик каким-то непривычно смущенным голосом. — Это я...

— Да уж догадалась! — насмешливо ответила Лена.

— Ну да... я чего пришел-то... Арбеков просил передать тебе персональное приглашение на выставку. Открытие через два дня... ты уж приходи...

— Ну что ж, конечно, приду. Арбекову передай мою персональную благодарность. Это все?

— Ну... — тянул Толик все тем же смущенным тоном, — в общем... я тут подумал...

— Да что ты говоришь? — фыркнула Лена. — Полезное занятие!

Но он не заметил ее сарказма и продолжил:

— Что мы с тобой встречаемся только по каким-то жутким поводам. То на похоронах, то вообще в квартире с трупом... Давай, что ли, сходим куда-нибудь. Я тут один хороший ресторанчик знаю... Кормят хорошо, и музыка приятная.

— Толик! — радостно воскликнула Лена. — Так ты меня что — приглашаешь на свидание?

— Ну... типа того... но если ты против...

— Да не против я, не против! Совсем даже не против! Только, знаешь, с одним условием.

— Каким?

— Толик, — Лена подошла к нему близко, — Толик, я тебя умоляю, не надевай ты никогда больше этот пиджак. В нем ты ужасно похож на шкаф. Мне кажется, что если расстегнуть пуговицы, то там внутри окажутся полки с бельем.

Говоря так, Лена расстегнула пуговицы на пиджаке, но под ним не было никаких полок. Там был Толик, живой и настоящий. И теплый, как поняла она тотчас, как только он привлек ее к себе.

Литературно-художественное издание

АРТЕФАКТ & ДЕТЕКТИВ

Александрова Наталья Николаевна

ВЕНЕЦ СКИФСКОГО ЦАРЯ

Ответственный редактор *О. Басова*
Редактор *М. Бродская*
Младший редактор *А. Залетаева*
Художественный редактор *А. Аверьянов*
Технический редактор *Н. Духанина*
Компьютерная верстка *Г. Клочкова*
Корректор *Н. Яснева*

В коллаже на обложке использованы фотографии:
Svetoslav Radkov, Sergei Afanasev, Peyker, photomaster/Shutterstock.com
Используется по лицензии от Shutterstock.com;
aleks0649/Istockphoto/Thinkstock/Gettyimages.ru

ООО «Издательство «Эксмо»
123308, Москва, ул. Зорге, д. 1. Тел.: 8 (495) 411-68-86.
Home page: www.eksmo.ru   E-mail: info@eksmo.ru
Өндіруші: «ЭКСМО» АҚБ Баспасы, 123308, Мәскеу, Ресей, Зорге көшесі, 1 үй.
Тел.: 8 (495) 411-68-86.
Home page: www.eksmo.ru   E-mail: info@eksmo.ru.
Тауар белгісі: «Эксмо»
Интернет-магазин : www.book24.kz
Интернет-дүкен : www.book24.kz
Импортёр в Республику Казахстан ТОО «РДЦ-Алматы».
Қазақстан Республикасындағы импорттаушы «РДЦ-Алматы» ЖШС.
Дистрибьютор и представитель по приему претензий на продукцию,
в Республике Казахстан: ТОО «РДЦ-Алматы»
Қазақстан Республикасында дистрибьютор және өнім бойынша арыз-талаптарды
қабылдаушының өкілі «РДЦ-Алматы» ЖШС,
Алматы қ., Домбровский көш., 3«а», литер Б, офис 1.
Тел.: 8 (727) 251-59-90/91/92; E-mail: RDC-Almaty@eksmo.kz
Өнімнің жарамдылық мерзімі шектелмеген.
Сертификация туралы ақпарат сайтта: www.eksmo.ru/certification
Сведения о подтверждении соответствия издания согласно законодательству РФ
о техническом регулировании можно получить на сайте Издательства «Эксмо»
www.eksmo.ru/certification
Өндірген мемлекет: Ресей. Сертификация қарастырылмаған

Подписано в печать 16.08.2018. Формат 84х108 $^1/_{32}$.
Гарнитура «Ньютон». Печать офсетная. Усл. печ. л. 16,8.
Тираж 2 500 экз. Заказ 2170

Отпечатано с электронных носителей издательства.
ОАО "Тверской полиграфический комбинат". 170024, г. Тверь, пр-т Ленина, 5.
Телефон: (4822) 44-52-03, 44-50-34, Телефон/факс: (4822)44-42-15
Home page - www.tverpk.ru Электронная почта (E-mail) - sales@tverpk.ru